À ma meilleu[re]
amie !
j'ai pensé à toi
quand je l'ai vue
Bonne fête °°
Bisous
xxx

La Peur du Loup

ANNIE LEMIEUX-GAUDRAULT

La Peur du Loup

du

TOME 1
SARA

Libre Expression

Une société de Québecor Média

Catalogage avant publication de Bibliothèque et Archives nationales du Québec et
Bibliothèque et Archives Canada

Lemieux-Gaudrault, Annie
    La peur du loup
      Sommaire : t. 1. Sara.
      ISBN 978-2-7648-0874-0 (vol. 1)
      I. Lemieux-Gaudrault, Annie. Sara. II. Titre.

PS8623.E542P48 2014   C843'.6   C2014-941339-4
PS9623.E542P48 2014

Édition : Nadine Lauzon
Révision linguistique : Céline Bouchard
Correction d'épreuves : Julie Lalancette
Couverture : Chantal Boyer
Grille graphique intérieure : Clémence Beaudoin
Mise en pages : Geneviève Poirier
Photo de l'auteure : Sarah Scott

Cet ouvrage est une œuvre de fiction ; toute ressemblance avec des personnes ou des faits
réels n'est que pure coïncidence.

Remerciements
Nous reconnaissons l'aide financière du gouvernement du Canada par l'entremise du Fonds
du livre du Canada pour nos activités d'édition.
Nous remercions le Conseil des Arts du Canada et la Société de développement des entre-
prises culturelles du Québec (SODEC) du soutien accordé à notre programme de publication.
Gouvernement du Québec – Programme de crédit d'impôt pour l'édition de livres – gestion
SODEC.

Les Éditions Libre Expression
Groupe Librex inc.
Une société de Québecor Média
La Tourelle
1055, boul. René-Lévesque Est
Bureau 300
Montréal (Québec) H2L 4S5
Tél. : 514 849-5259
Téléc. : 514 849-1388
www.edlibreexpression.com

Dépôt légal – Bibliothèque et Archives nationales du Québec et Bibliothèque et Archives
Canada, 2014

ISBN : 978-2-7648-0874-0

Distribution au Canada
Messageries ADP inc.
2315, rue de la Province
Longueuil (Québec) J4G 1G4
Tél. : 450 640-1234
Sans frais : 1 800 771-3022
www.messageries-adp.com

Diffusion hors Canada
Interforum
Immeuble Paryseine
3, allée de la Seine
F-94854 Ivry-sur-Seine Cedex
Tél. : 33 (0) 1 49 59 10 10
www.interforum.fr

*À India Desjardins, une auteure sublime
et une femme exceptionnelle.*

1

Les jeans, emblèmes du mal

Samedi 23 avril 2011
15 h 27

*D*eux hommes travaillent près de la corniche. Un troisième va les rejoindre en marchant lentement. Je ne distingue pas très bien ce qu'ils font. Les ouvriers gesticulent et se déplacent sur le toit plat d'un grand édifice du centre-ville de Montréal, visible de l'immeuble à bureaux de mon cabinet. Les travailleurs ne semblent pas incommodés par le vide qui se trouve à quelques centimètres seulement de leurs pieds. Je me demande s'ils portent des harnais ; sinon ce n'est pas très sécuritaire tout ça. Les réparations qu'ils effectuent doivent être urgentes. Ils seront certainement payés « temps double », en ce samedi d'un long week-end. Ils ne semblent pas très pressés, ils arrêtent souvent leurs manœuvres pour discuter. Je réalise soudain que je ne suis pas du tout concentrée sur mon travail. Je regarde mon ordinateur. J'en suis à la page 63.

C'est à mourir d'ennui. Un bateau vert navigue sous le pont Jacques-Cartier, laissant des sillons blancs sur le Saint-Laurent. Je regarde l'écran de mon cellulaire. Pas d'appel, pas de message. Je tourne les pages de l'interrogatoire avant défense de M. Michel Dupuis, ingénieur de sol. Au total, 147 pages. Il me reste encore 84 pages à résumer. Je prends ma calculatrice. Environ 17 pages à l'heure ; il me reste donc près de cinq heures à travailler. Je préférerais être avec ces trois hommes sur le toit. *Le calfeutrage des solins est fissuré, il faut l'étanchéifier. Voilà, c'est réparé. Maintenant, messieurs, enlevez vos chemises et n'oubliez pas que vous êtes payés le double…*

Si je ne me remets pas au travail immédiatement, je ne sortirai jamais d'ici. La dernière chose que je souhaite est de passer tout mon samedi soir seule devant mon écran d'ordinateur. Pourtant, je suis incapable de détourner mon regard de la fenêtre. Quelle vue incroyable ! C'est vraiment ce que je préfère de mon bureau, de tout mon cabinet de cent quarante-trois avocats. C'est la seule chose que j'ai obtenue sans discrimination. En effet, depuis qu'un groupe d'associés a décidé de partir pour un cabinet concurrent, tous les jeunes avocats se sont fait offrir des bureaux avec de magnifiques vues. Il en reste encore à combler, mais pas question de les proposer aux techniciennes, même temporairement. Il ne faut absolument pas créer de précédent. Elles sont donc toutes entassées dans des espaces à cloisons sans fenêtres, alors qu'il y a une demi-douzaine de bureaux orphelins dont personne ne peut apprécier la vue.

La circulation est fluide sur le pont Jacques-Cartier. Je dois absolument régler mon problème de concentration. J'ai envie d'une cigarette. Je n'ai pas le temps de descendre de ma tour, si je veux quitter à une heure décente. J'opte pour un café. Je me dirige vers la cuisine. Je n'entends que mes pas feutrés sur le tapis bleu foncé. Je dois être la seule au cabinet aujourd'hui. Les corridors déserts et la succession de bureaux inhabités me font sentir comme une intruse. J'ai envie de briser le silence et le sérieux de l'atmosphère en faisant quelque chose de vraiment déplacé ou de tout simplement stupide. Je m'imagine faire la roue toute nue entre les dossiers de litige civil ou aller fouiller dans les filières confidentielles des associés.

Je m'apitoie sur mon pauvre sort en regardant mon verre de carton se remplir sur le porte-gobelet de la machine à café. En retournant vers mon bureau, je lutte contre un puissant sentiment de découragement. Résumer des interrogatoires : quel horrible mandat ! Alors que j'ai quatre ans de Barreau (ce qui signifie que je pratique depuis quatre ans), il s'agit d'un travail habituellement réservé aux étudiants ou aux stagiaires. Rien pour faire avancer ma carrière. C'est même quasi humiliant. J'imagine les autres avocats du cabinet en train de s'amuser à des activités en plein air en ce beau week-end de Pâques. Je me rassois devant mon ordinateur.

Ils sont maintenant quatre hommes sur le toit. Ils sont loin de se douter que je les observe avec autant d'attention. J'ai l'impression de regarder un documentaire : *L'homme moderne a réussi de grands exploits avec la construction d'immenses édifices à bureaux. Il est devenu maître dans l'art de modifier son environnement. En revanche, un dernier ennemi le menace : l'infiltration d'eau lors des congés fériés.* Je lis la première ligne de la page 64 de l'interrogatoire. Je soupire. Je mets une main sur la vitre froide de ma fenêtre, faisant ainsi disparaître les quatre hommes. Je sens la solitude m'envahir. *Courage, Sara !* Je me console en me disant que je pars le week-end prochain à New York avec Philippe. Nous allons passer quatre jours dans cette splendide ville à l'occasion de l'ouverture d'un restaurant dont il a rénové les locaux. C'est le premier contrat de sa compagnie à l'étranger, et j'ai bien cru qu'il allait en mourir d'angoisse. Je suis si heureuse pour lui. Il était sous une pression immense, mais grâce à ce succès il vient d'affermir la notoriété et la force de son entreprise. Bon, aujourd'hui, je planche sur mes résumés, et demain je vais magasiner un complet et une robe de soirée avec Philippe pour la grande ouverture du restaurant *NY-Love*.

Dimanche 24 avril 2011
15 h 26

Je marche rapidement devant lui. Je sens mes larmes couler sur mes joues. Je suis honteuse, je déteste pleurer en public, dans la rue. J'attire le regard sympathique d'une passante. Elle pense peut-être la même chose que moi, qu'elle a horreur de pleurer en public. Elle adresse un regard accusateur à Philippe. Elle n'a pas tort. Je pleure à cause de lui et non en raison d'un grand drame comme l'annonce d'un décès ou quelque chose d'aussi terrible qui rendrait plus respectable le fait de pleurer en public.

Je sens qu'il se rapproche de moi. Je lui envoie un regard oblique chargé de tristesse. Je vois bien qu'il voudrait me parler, mais c'est impossible pour l'instant. Je ne veux pas prendre le risque de transformer mes larmes encore discrètes en chutes d'Iguazú. De toute façon, je ne sais pas quoi lui dire. Je ne sais même plus ce qui me fait autant de peine ; les images et les pensées se bousculent dans ma tête. Je me sens profondément humiliée. Et je ne me sens pas aimée, pas en équipe avec lui. Mais peut-être que ma réaction est un peu exagérée. Je me demande ce qu'Élise me conseillerait. Je sais que Marie, elle, grimperait aux rideaux. Alors que j'invente pour moi-même des conversations imaginaires avec mes amies, Philippe me touche l'épaule.

— Je suis désolé, Sara, je ne savais pas que c'était si important pour toi, me dit-il timidement.

Je le regarde avec des yeux meurtriers. Je hurle dans ma tête tout en m'enfermant dans un profond mutisme. Nous arrivons à la voiture.

Nous ne nous parlons pas de tout le trajet qui nous mène à notre condo. À son condo.

Samedi 30 avril 2011
20 h 45

Malgré mes conversations imaginaires avec elles, je n'ai pas encore trouvé le courage de raconter ma mésaventure à mes amies. Je n'ai pas envie de mettre à nu, encore une fois, la fragilité de ma relation avec Philippe. Si j'en parle, je n'aurai d'autre choix que d'en arriver au constat qui s'impose de plus en plus : l'échec.

— Sara ! Tu n'es pas supposée aller à New York avec Philippe ? me demande Marie avec excitation. Tu dois avoir hâte !

— Je n'y vais plus, finalement…

— Comment ça ? Ce n'est pas bientôt l'ouverture du restaurant que Philippe a rénové ?

— Oui, mais il a changé ses plans à la dernière minute. Il a préféré faire une sortie avec les *boys*. Il a invité Marc, Ludo et Rémi à ma place… Ils sont là-bas présentement.

Le visage de Marie change radicalement alors qu'elle remplit nos verres. Élise dépose sa fourchette dans son assiette et me regarde, troublée.

— Justement, ils ne reviennent pas d'un voyage de surf entre gars ? me demande Élise.

— Oui, mais ils n'étaient jamais allés ensemble à New York, réponds-je avec amertume.

— Attends une minute, coupe Marie. Lorsqu'il t'a annoncé qu'il prenait vos deux semaines de vacances pour aller surfer, il ne t'a pas promis qu'il se rachèterait en t'emmenant avec lui pour l'ouverture du restaurant ?

J'avale une grande gorgée de vin en guise de réponse.

— Nooon! s'insurge Élise. Il récidive? Déjà qu'il t'a gâché tes deux semaines de vacances parce qu'il préférait aller faire du surf avec ses chums. Il savait très bien qu'il était trop tard pour que tu changes tes dates de congé pour venir avec nous sur la Côte d'Azur!

— Je sais! Et j'ai dû prendre mes deux semaines de vacances en mars, seule à Montréal!!! C'est comme s'il avait déjà oublié! Ce n'est même pas ça le pire. Vous savez, je suis vraiment fière de Philippe. Je sais qu'il a travaillé fort sur ce projet. J'avais vraiment envie de partager ce moment avec lui. Je me suis sentie rejetée. En plus, il a décidé de m'annoncer la nouvelle alors que je magasinais une robe de soirée avec lui spécialement pour l'ouverture. J'étais vraiment de bonne humeur – et même un peu trop excitée – à essayer de belles robes, jusqu'à ce qu'il m'informe que je ne faisais plus partie de ses plans. Je me suis sentie comme une vraie conne, devant les miroirs de la boutique, avec sur le dos une robe trop chère pour laquelle je n'avais plus d'occasion.

— C'est super…, dit ironiquement Élise.

— Je comprends comment tu as dû te sentir: il ne te considérait pas comme une partenaire, ajoute Marie.

— C'est exactement ça! Je pensais qu'on était une équipe! Nous vivons ensemble depuis cinq ans. J'ai été à ses côtés à tous les mauvais moments. Je me suis tapé toutes ses insécurités et ses crises d'angoisse à 3 heures du matin, alors que je dois me lever à 5 h 45 pour aller au bureau. J'ai même dû conduire la mère de Philippe à l'enterrement de son grand-père, à Chicoutimi! Il ne pouvait pas se libérer de son voyage de surf! Cinq heures de voiture avec sa mère en larmes pour y aller, cinq heures de voiture seule pour en revenir!

— C'est quoi, son problème? me demande Élise.

— Je ne sais pas. Je pense qu'il préférait vivre son succès avec ses amis, sans sa blonde… Être la vedette et *flasher* avec son entourage…

— Et tu nous le dis seulement maintenant, réalise Marie.

— J'avais honte, dis-je timidement en posant mon front sur la table. En plus, j'ai acheté la maudite robe : 675 dollars pour rien.

Les filles me regardent d'un air interrogatif.

— J'ai flanché sous la pression ! Quand Philippe m'a annoncé la «bonne» nouvelle, je me suis décomposée. La vendeuse est venue me demander si tout allait bien avec la cent unième robe que j'essayais. J'avais vraiment envie de pleurer et pour sauver la face j'ai dit : «Je la prends !» Au moins, elle est vraiment très belle. C'était ma préférée, mais j'hésitais à cause du prix. Je la mettrai pour faire l'épicerie…

— Tu pourras la porter à l'une de tes soirées de bureau, propose Élise pour m'encourager.

— Oh non, elle est vraiment trop sexy pour le bureau ; courte et tout ouverte dans le dos…

Marie se lève soudainement.

— Bon ! dit-elle d'un ton grave en levant son verre, je propose un *toast*. Premièrement, à l'incroyable insensibilité dont peuvent parfois faire preuve les hommes. Deuxièmement, nous allons trouver une occasion pour que tu puisses la porter, ta magnifique robe. Je m'y mets personnellement. Et troisièmement, j'insiste fortement sur le fait qu'il ne faut jamais avoir honte de parler à ses amies.

Je pouffe de rire et lève mon verre. Élise profite du fait que Marie s'est éloignée de son assiette pour lui voler sa dernière crevette tempura. Nous en avions deux chacune, pas plus, en raison de leur teneur calorique élevée. Élise la mange bruyamment. Marie feint une immense indignation et attrape, en guise d'arme, deux baguettes de bois qui gisaient au milieu du grand plat de sushis.

Marie est la personne la plus talentueuse que je connaisse. Elle excelle dans tout ce qui touche de près ou de loin le domaine artistique. Elle chante, elle joue de quatre instruments de musique, elle peint, elle écrit et elle danse. Elle est surtout une comédienne absolument fabuleuse capable d'émouvoir le plus bourru et cynique des spectateurs. Elle réussit à bien vivre de son art, mais n'a pas encore décroché de premier rôle au cinéma, son objectif ultime. Marie est probablement la plus belle fille de Montréal. Nombreux sont les cœurs qui se sont brisés sur son sourire à 1 000 dollars. Surtout qu'elle aime y mordre à pleines dents. Puisque son corps est l'un de ses outils de travail, elle maintient une discipline de fer. Elle n'aurait jamais mangé sa seconde crevette tempura, chose qu'Élise savait très bien. En revanche, elle compense en ayant un très grand appétit pour les hommes, appétit qui n'est dépassé que par sa passion pour les arts.

Élise, elle, est ingénieure en aéronautique. Elle travaille au sein d'une équipe de design d'intérieur d'avions et de jets privés. Elle a un esprit pratique sans faille. Elle ne se perd jamais dans une ville étrangère et est capable d'évaluer à l'œil les distances, les hauteurs et même les volumes avec une précision déconcertante. Elle a deux grandes passions : les marathons et le *shopping*. D'ailleurs, elle excelle dans ces deux disciplines. Elle a terminé le dernier marathon de Montréal en trois heures seize minutes et dix-sept secondes. Ses souliers, son sac à main et ses bijoux sont en tout temps assortis. Élise est un paradoxe ambulant. Sa manucure et sa pédicure sont toujours impeccables, pourtant elle s'obstine à pratiquer et aimer le camping sauvage. Elle est de loin la plus aventureuse de nous trois. On pourrait difficilement imaginer que derrière cette magnifique femme de carrière à l'allure déterminée se cache une petite sportive au cœur trop tendre.

Je regarde avec amusement mes amies combattre avec leurs ustensiles. Je les trouve tellement belles. Quel fantastique privilège que de les avoir à mes côtés depuis autant d'années !

Jeudi 27 septembre 2001
13 h 53

J'observe avec attention le graffiti gravé dans le bois
du bureau défraîchi et couvert de taches de colle. J'ai
de la difficulté à le déchiffrer. « Fuck le marketing », je
crois. Tout en passant un doigt sur les lettres texturées,
je me demande si les graffitis ne pourraient pas être
considérés comme une forme de marketing. Laissant
de côté mon grand questionnement existentiel, je lève
les yeux. Isabelle Duval, notre professeure d'art, en
est encore à sermonner le groupe sur le sérieux de sa
matière. Elle passe au moins trente minutes par cours
à s'attarder sur ce sujet. Puisqu'il s'agit d'un cours
optionnel, elle est persuadée que nous avons choisi
cette discipline pour nous la couler douce. Dans mon
cas, c'est tout à fait faux. J'ai choisi ce cours unique-
ment en raison de mon intérêt pour l'art. Je me suis
inscrite au cégep en sciences humaines sans mathéma-
tiques avec profil juridique dans l'optique d'entrer à
la faculté de droit. J'anticipe aisément que ma carrière
future sera dénudée de tout aspect artistique et je voulais en profiter. Je regrette amèrement ma décision.

Non seulement ce cours est d'une incroyable pla-
titude, mais la professeure nous demande des travaux
d'une complexité démesurée, considérant qu'il s'agit
d'un cours d'introduction. Isabelle Duval monte le
ton. C'est une femme dans la mi-quarantaine, grande
et mince. Ses cheveux sans teinture toujours montés en
chignon lui donnent une dizaine d'années de plus. Au
début de sa carrière, elle avait un avenir prometteur.
En effet, ses immenses structures en acier, qui étaient
toujours accompagnées de jeux de lumière complexes,
avaient été achetées par plusieurs grandes entreprises
afin de garnir leur hall d'entrée. Mais vers le début
des années 1990, ses œuvres, qu'elle n'avait pas su
renouveler, furent rapidement boudées. Par dépit,
et non par amour pour l'enseignement, elle s'est

trouvé un emploi comme professeure d'art dans un cégep.

Je l'entends maintenant se plaindre que nous n'avons pas mis l'effort nécessaire pour exécuter le dernier travail qu'elle nous a demandé. Elle se dirige vers l'étagère où sont rangées nos « œuvres » et saisit l'une d'elles. NOOON!!! Horreur! Elle prend MON travail en exemple de ce qu'il ne faut pas faire. Honte à moi! C'est la première fois que je me trouve dans cette situation, ayant toujours été une élève modèle. Cela ne fait qu'un mois que je suis au cégep et je songe déjà à décrocher.

— Qui est l'auteur de cette malheureuse pièce? demande-t-elle en lisant à haute voix le nom inscrit sur un bout de papier autocollant. Madame Sara Clermont, votre structure est toute croche. Est-ce par manque de temps ou par manque d'intérêt?

J'ai la désagréable sensation d'être assise nue sur ma chaise en bois rêche. Je me racle la gorge tout en me disant qu'il est encore temps d'annuler mon inscription et d'aller refaire ma vie sur un autre continent.

— J'ai quand même passé tout le week-end là-dessus.

— Mon Dieu, on ne dirait pas! raille Isabelle Duval.

— C'est que, vous voyez, j'ai fait exprès de lui donner une structure croche. Je voulais ainsi évoquer un déséquilibre… faire un contraste entre la solidité du bois et la fragilité de tout ce qui peut-être construit par l'être humain.

— Un déséquilibre… Je ne vous suis pas.

Je me sentais tellement créative, avec mon beau concept de « déséquilibre », lorsque je travaillais chez moi. Plus je tente de le défendre, moins j'y crois et plus je me sens ridicule. L'attitude complètement fermée d'Isabelle Duval ne fait qu'augmenter mon malaise. J'ai envie de lui dire : « Allez, reconnaissez au moins l'effort d'une certaine démarche artistique. » Non, Isabelle Duval prend un plaisir évident à me voir patiner. Je prends une grande inspiration en essayant de me convaincre sans trop de succès que le ridicule ne tue pas :

— Oui, vous savez, madame Duval, malgré toutes les avancées technologiques, le développement du savoir-faire… un petit rien et… tout devient chaos ?

— Pour ce qui est du chaos, il ressort facilement de votre travail, ironise-t-elle.

Une étudiante lève la main et prend la parole sans attendre qu'on la lui donne.

— Moi, je la trouve intéressante, cette pièce, je trouve qu'elle a du *punch* ! lance avec assurance Élise Dubé, étudiante en chimie et physique avec profil mathématique.

— Je suis d'accord, ajoute Marie Lachance, une étudiante en lettres et communication avec profil théâtre. La structure asymétrique donne un côté surréaliste au travail. C'est très original.

Si je le pouvais, je me lèverais pour aller serrer dans mes bras ces deux étudiantes qui se sont si gentiment portées à mon secours. Isabelle Duval est visiblement ébranlée par leurs remarques. Elle ne s'attendait pas à de telles interventions. De surcroît, Marie est son étudiante préférée. Grâce à son indéniable talent, Marie a su conquérir son cœur de pierre en quelques heures de cours seulement.

— Madame Clermont, au moins, votre travail a le mérite d'attiser les passions de vos amies. Venez me voir lors de l'atelier libre, je vous indiquerai les corrections à y apporter. On fait une pause de dix minutes. Pour les retardataires, ne prenez pas la peine d'ouvrir la porte, vous ne serez pas les bienvenus.

Malgré ce que pense Isabelle Duval, Marie et Élise ne sont pas mes amies, je ne leur ai même jamais adressé la parole. Nous ne nous connaissons tout simplement pas. Nous sommes inscrites dans des programmes différents et ne nous croisons qu'une fois par semaine, dans ce cours. Par contre, j'ai la ferme intention de changer cette situation.

Vendredi 22 avril 2011
16 h 12

Me Claude Lambert me scrute de la tête aux pieds d'un air désapprobateur. Je suis debout dans l'embrasure de la porte de son bureau. Au lieu de me faire signe d'entrer, il secoue la tête. J'ai de la difficulté à camoufler mon irritation. Je porte des jeans et, à voir le regard qu'il m'envoie, il semble qu'il s'agisse de l'emblème du mal et de la perdition.

— Nous sommes vendredi, c'est *casual* aujourd'hui, lui dis-je à titre d'explication.

Il le sait très bien puisqu'il tente chaque année de mettre fin aux tenues décontractées du vendredi. Ce jour-là, tout membre du personnel peut troquer ses habits «propres» contre des jeans. En revanche, pour nous faire pardonner cet écart de conduite, nous devons faire un don à une œuvre de charité. Ainsi, j'ai dû donner 10 dollars pour avoir le droit de porter mes pauvres jeans. Il s'agit d'une coutume sympathique et très populaire auprès de ceux et celles qui travaillent dans des domaines où l'on doit respecter un code vestimentaire strict. Mais Me Lambert appartient à l'ancienne génération d'avocats : il serait certainement plus acceptable pour lui de voir un avocat junior faire partie de la jeunesse hitlérienne que de porter des jeans au travail.

— Me Lambert, vous vouliez me voir, lui dis-je afin de faire avancer les choses.

Me Lambert ne m'a toujours pas invitée à l'appeler par son prénom ni à cesser de le vouvoyer, alors que la très grande majorité des autres associés l'ont fait dès la première journée de mon stage. Toutefois, je pense que c'est mieux ainsi. En effet, aucune jeune avocate ne veut avoir trop d'intimité avec lui.

— Sara, tu sais, c'est très important pour une avocate, particulièrement pour une avocate qui pratique en litige, d'être vêtue convenablement.

— J'ai un tailleur dans mon bureau, au cas où je devrais aller à la cour inopinément, lui dis-je sur un ton neutre.

En quatre ans dans ce bureau, je n'ai jamais été envoyée à la cour par Me Lambert. Il ne donne cette tâche qu'aux avocats mâles. Heureusement, j'ai d'autres fournisseurs de mandats qui ne partagent pas cette pratique. Pour sa part, Me Lambert est un véritable dinosaure qui nourrit une vision du milieu du travail digne des années 1950. Toutes les avocates avec qui il travaille pourraient être mannequins et ont moins de trente ans. À nous, les filles, il ne confie que des mandats nécessitant un degré minimal de responsabilités. Je suis persuadée que j'aurais pu entraîner un singe pour exécuter la plupart des tâches qu'il m'a confiées. Il nous utilise surtout pour nous exhiber devant ses clients lors de cocktails ou de dîners-conférences. Je dis bien « exhiber », car il ne nous invite que très rarement à des rencontres avec les clients pour discuter de dossiers, à moins que nous ayons à lui apporter des documents manquants.

C'est un homme qui a commencé sa carrière alors que les concepts de harcèlement et de discrimination sexuels au travail n'existaient pas. Depuis, il n'a toujours pas compris que certaines remarques et certains gestes sont totalement déplacés dans un milieu de travail. Lors des rencontres mensuelles des jeunes barreaux de mon cabinet, nous nous amusons à le citer. Pour ma part, j'ai déjà eu le plaisir de partager cette succulente citation : « Sara, les femmes ne devraient porter à la cour que des strings, c'est déconcentrant de voir les marques de leur culotte sous leur tailleur. Mais toi, tu n'as pas ce problème. »

Lors d'un cocktail du bureau, alors que j'étais stagiaire, il m'a expliqué que les femmes qui veulent avoir des enfants ne devraient pas travailler pour le cabinet. Un autre associé qui avait suivi la conversation est venu me voir, après coup. Il m'a alors dit de ne pas m'inquiéter, que tous les bureaux d'avocats avaient leur « Me Lambert ». Le gros problème, c'est que *notre* Me Lambert contrôle une partie importante des clients du bureau et possède un grand pouvoir décisionnel.

— Peu importe, coupe-t-il, j'aimerais que tu résumes des interrogatoires dans le dossier *Édifice Nord*.

Évidemment, résumer des interrogatoires.

— C'est un dossier trop important pour que je confie ce mandat à un stagiaire, me dit-il avant même que j'aie le temps de rouspéter. En plus, tu as de l'expérience dans les dossiers de construction, tu ne devrais pas avoir trop de difficultés avec les termes techniques.

Je le regarde sans émotion alors qu'il tente maladroitement d'utiliser la flatterie afin de mieux faire passer la pilule. Il se lève et se dirige vers plusieurs boîtes qui jonchent le sol. Me Lambert n'est pas très grand ; je le dépasse, avec mes talons hauts. Toutefois, il a conservé une bonne forme physique, considérant ses soixante-sept ans. Ses yeux perçants et son nez d'aigle lui donnent un air légèrement hautain. Son visage aux traits fins est encadré par une chevelure fournie très foncée, qui est de toute évidence teinte. Il prend grand soin de sa coiffure et ses cheveux sont toujours bien placés sur le côté. Je parierais tout mon argent qu'il possède un petit peigne noir, dans la poche intérieure de son veston, et qu'il s'en sert dès qu'il se trouve à l'abri des regards.

Il me désigne une boîte pleine de dossiers. Je comprends que je dois la soulever et la porter jusqu'à mon bureau sans aucune aide de sa part. Je sais pertinemment qu'il profitera de l'occasion pour me reluquer les fesses lorsque je me pencherai pour saisir la boîte.

Non, toujours pas de problème de petite culotte apparente. Je peste contre lui intérieurement en franchissant le seuil de la porte.

— Ah oui, Sara, les résumés devront être prêts pour mardi prochain, me lance-t-il le plus naturellement du monde.

Je le regarde avec ahurissement. Je ne trouve absolument rien à lui répondre tellement la situation me semble grotesque. Nous sommes vendredi en fin d'après-midi, à la veille du grand week-end de Pâques.

Dimanche 24 avril 2011
15 h 17

Je regarde Philippe dans la réflexion des grands miroirs de la salle d'essayage qui m'encadrent. Il est avachi sur le gros sofa blanc de la boutique comme un véritable pacha. Il joue avec la fermeture éclair de la housse protégeant le complet tout neuf qu'il vient de s'acheter dans la boutique pour hommes adjacente à celle-ci. Il chasse de son front une mèche rebelle de ses cheveux châtains et bouclés. Il lève ses yeux verts et me regarde. Il a des yeux de chat scintillants. Grâce à eux et à son sourire enjôleur, il peut obtenir facilement les faveurs des dames. Je lui demande ce qu'il pense de la robe en soie noire que je porte. Il hoche la tête en souriant.

— J'adore le dos… Très sexy! me dit-il avec désinvolture.

La vendeuse s'approche de moi, les bras chargés de robes de soirée. Je n'ai peut-être pas été assez précise, mes seules indications étaient : ajustée et ouverte dans le dos.

— Je vous en ai apporté plusieurs autres. Avec votre silhouette, toutes nos robes vous vont comme un gant. Vous êtes chanceuse, et encore plus votre mari! dit-elle en me décochant un clin d'œil.

La vendeuse suspend les robes sur le support métallique placé à côté de ma cabine d'essayage. Celle que je porte est parfaite. Elle est par contre plus chère que les autres, mais elle est si belle. Alors que je tourne sur moi-même devant le miroir et que je place mes cheveux en les remontant, Philippe me demande : « Pourquoi as-tu besoin de cette robe au juste ? »

Mardi 10 mai 2011
20 h 22

Mes lentilles cornéennes collent à mes paupières à chacun de leurs battements. Je suis épuisée. La lumière blanche des néons agresse mes yeux et me tient éveillée tel un café trop corsé. Rod Johnson écrit une phrase sur une grande toile blanche avec un feutre vert. Une odeur d'encre parvient jusqu'à mes narines. J'observe les autres étudiants du cours d'écriture anglaise avancée qu'offre l'Université McGill dans ses magnifiques locaux. Nous sommes tous silencieux et absorbés par les explications de Rod sur la conjugaison des verbes au *past perfect*. La moitié des étudiants sont d'origine étrangère. Les autres, tout comme moi, souhaitent améliorer la qualité de leur écriture dans la langue anglaise pour des fins professionnelles. Nous sommes d'ailleurs trois avocates inscrites à ce cours du soir. Malheureusement, j'avais bien mal évalué l'ampleur du travail additionnel qui allait s'ajouter à mes journées déjà très chargées. Chaque semaine, je dois suivre trois heures de cours et faire autant d'heures de travaux chez moi. J'en ai pour quinze semaines, tous les mardis de 19 à 22 heures. Ce matin, j'étais au bureau à 6 h 45 afin de me préparer pour la contestation d'une requête qui était présentée par la partie adverse à 9 heures, en salle 2.16 du palais de justice de Montréal.

La fatigue me donne mal partout. Elle est si lourde et si présente que je tente de l'apprivoiser comme un petit animal : « Allez, nous pourrions être amies, toi et moi, nous vivons une relation si intime. » Je suis tout de même relativement de bonne humeur, ce qui est attribuable au seul fait d'avoir gagné à la cour, ce matin.

— *Sara, do you want to try this one ?*

Je suis assurément la chouchou du professeur, et ce n'est un secret pour personne. Dès le premier cours, il était évident que Rod m'appréciait beaucoup. Ensuite, je crois l'avoir complètement séduit avec mes récits du *killing monkey*. Chaque étudiant devait choisir une entreprise fictive en guise de prétexte pour la rédaction de documents corporatifs divers. Comme j'avais un besoin irrésistible de me distancer de tout ce qui touche la profession d'avocat et du domaine de la construction, mon choix s'est arrêté sur un cirque ambulant fictif, The Little Circus of Horrors Inc. Notre premier travail consistait à rédiger un mémo interne. Mon mémo avertissait le personnel cadre du Little Circus of Horrors Inc. de l'évasion de leur *killing monkey* et énumérait les dangers et mesures à adopter. J'appréhendais la réaction de Rod, après la remise de mon premier devoir. Je ne voulais pas qu'il pense que je ne prenais pas le cours au sérieux. Je me dois d'avoir de bonnes notes puisque c'est le bureau qui débourse les frais de scolarité. Mes inquiétudes n'étaient nullement fondées. Rod a été absolument ravi du choix de mon entreprise et du contenu humoristique de mon mémo. Il m'a confié que ça lui faisait du bien de lire des textes différents. Après tout, ça fait quinze ans qu'il enseigne ce cours. J'ai donc utilisé le thème de l'évasion du *killing monkey* pour la rédaction d'un communiqué de presse et je compte faire de même pour le plan de gestion de crise que nous devons remettre la semaine prochaine.

— *Had we not been asked ?*

— *Very good, Sara !*

J'ai développé une grande affection envers Rod. C'est un homme qui approche les cinquante ans. Ses cheveux épais et frisés sont de la même teinte que le pull de laine de couleur rouille qu'il porte à tous les cours. À chacun de ses sourires, de nombreuses petites rides entourent ses yeux et lui creusent de jolies fossettes. Comme beaucoup d'hommes de son âge, il a le ventre rond et dur. Je le surnomme d'ailleurs mentalement Rod « l'ourson ». Je le trouve très attachant. Tout, chez lui, inspire la générosité et la gentillesse.

Mercredi 23 mars 2011
10 h 32

Je me concentre sur les paroles de la chanson populaire qui joue à la radio. Il s'agit d'une ballade insipide chantée par une jeune artiste finaliste d'une téléréalité. Toutefois, mes efforts d'évasion sont inutiles, le bruit étouffé des sanglots de la mère de Philippe me ramène constamment à l'instant présent. Cela fera bientôt trois heures que Monique pleure en silence à côté de moi. Lorsque je suis allée la chercher à sa maison du chic quartier d'Outremont, elle m'a accueillie avec le sourire. Je lui ai demandé comment elle se sentait en lui donnant une grande accolade. Erreur fatale ! Mon geste empathique a eu raison de ses mécanismes de contrôle ; elle pleure depuis le moment où je l'ai prise dans mes bras. Après quarante-cinq minutes de route, j'avais épuisé tout mon répertoire de paroles réconfortantes. Je suis même étonnée d'avoir tenu aussi longtemps. J'ai bien essayé de lui changer les idées, mais en vain. Son père est décédé la veille, et seul le temps pourra apaiser sa douleur. Au début du trajet, elle s'excusait sans cesse pour sa déconfiture, ce qui a eu pour effet d'aggraver mon malaise. J'avais le sentiment désagréable de violer son intimité, car je ne suis pas assez proche d'elle pour vivre un moment aussi personnel de sa vie. Le silence a fini par s'imposer entre nous, rendant l'atmosphère à l'intérieur de la voiture absolument insupportable.

Mercredi 23 mars 2011
11 h 40

Le trajet est tout simplement interminable. La mère de Philippe ne pleure plus, son visage est tourné vers la fenêtre du côté passager et ses yeux bouffis fixent le néant. Je regarde sans cesse le voyant lumineux indiquant l'heure. Chaque fois, je suis étonnée par la lenteur avec laquelle s'écoule le temps. Je n'aurais pas dû boire un café avant de partir, j'ai très envie d'aller aux toilettes. Mais il est hors de question d'arrêter et de prolonger ce calvaire même d'une minute. Nous devrions arriver à Chicoutimi dans une heure.

Mercredi 23 mars 2011
11 h 51

Je remets la clé des toilettes au préposé du dépanneur de la station d'essence. J'en profite pour m'acheter un paquet de cigarettes. Je n'ai pas osé fumer devant la mère de Philippe, mais j'ai bien l'intention de le faire lors du voyage de retour. Je regarde les bouteilles de vin de mauvaise qualité derrière le comptoir. J'ai bien envie d'en acheter une et de la placer entre mes jambes pour la boire en conduisant. Je quitte le dépanneur – sans bouteille de vin – et me dirige vers la voiture.

J'aperçois Monique à travers la fenêtre. Elle s'est remise à pleurer et, cette fois, à gros sanglots. Je serre les poings et regarde vers le ciel. Des images de

Philippe s'amusant avec ses amis sur les magnifiques plages du Costa Rica se bousculent dans ma tête. Je vais lui faire la peau.

Mercredi 23 mars 2011
13 h 38

Je roule à vive allure vers Montréal, les fenêtres grandes ouvertes malgré la température froide. Mes cheveux tourbillonnent et s'enroulent autour de mon cou. J'écoute du *punk-rock* à tue-tête. J'enchaîne les cigarettes. J'ai une barquette de croquettes de poulet accompagnées de frites sur le siège passager et un cola dans le porte-gobelet. Je n'ai pas l'habitude de manger aussi mal, mais depuis que j'ai déposé la mère de Philippe chez sa sœur, à Chicoutimi, je me sens festive.

Évidemment, je n'ai trouvé sur la route que du fast-food comme repas pour emporter. Il faut dire que l'ambiance dans la voiture s'est grandement améliorée avec le départ de ma belle-mère. En montant les trois marches du perron chez sa sœur, Monique s'est sentie mal et s'est assise dans l'escalier. Elle m'a prise par le bras et m'a confié dans un élan de panique qu'elle ne se croyait pas assez forte pour assister aux obsèques de son père. Elle s'est relevée et m'a annoncé qu'elle voulait rentrer à Montréal avec moi. Je lui ai aussitôt barré le chemin vers la voiture. Tout en la réconfortant, je lui ai expliqué l'importance de cette étape difficile pour mieux vivre son deuil. J'ai plaidé avec ardeur le fait qu'elle devait traverser cette épreuve avec sa famille et qu'elle s'en voudra de ne pas l'avoir fait.

Non seulement j'en étais sincèrement convaincue, mais il était absolument hors de question que je me tape cinq autres heures de route avec une pauvre Monique inconsolable. Elle s'est essuyé les yeux, m'a remerciée sur un ton solennel et s'est tournée vers la maison. Je l'ai aidée à porter ses valises. La tante de

Philippe m'a invitée à rester pour les funérailles du lendemain et m'a offert le canapé-lit du salon pour la nuit. J'ai décliné poliment son invitation en prétextant des obligations à Montréal. J'ai fait la bise à Monique, je lui ai donné une accolade, qui a déclenché une autre crise de larmes, mais heureusement sa sœur l'a prise en charge. J'ai fermé doucement la porte d'entrée sur ces deux Madeleine et j'ai lutté pour ne pas courir jusqu'à la voiture.

Samedi 19 mars 2011
20 h 11

Alexandre m'adresse un sourire et se dirige vers moi. En faisant de grands gestes à mon attention, il bouscule la serveuse, qui s'agrippe à son plateau rempli de cocktails. J'ai donné rendez-vous à Alexandre dans un bar *trendy* du Mile End. On peut y boire des cocktails exotiques en grignotant des tapas. Après minuit, l'atmosphère change et les passions peuvent se déchaîner, sur la petite piste de danse près du D.J. Mais je n'ai pas l'intention de rester aussi tard. Alexandre me fait la bise et s'assoit en face de moi avec enthousiasme.

— Sara! Est-ce que je suis en retard? Comme je suis content de te voir! J'ai soif! Qu'est-ce que tu bois? me demande-t-il en saisissant le menu.

Sans me laisser le temps de répondre, il arrête la serveuse et commande sur un ton enjoué une bière et « la même chose pour madame ». Je regarde avec étonnement mon verre de vin plein aux trois quarts.

Je n'ai aucune difficulté à finir les deux verres ainsi que tous les autres qu'Alexandre commande avec entrain. Lui et moi avons fait nos études de droit ensemble et sommes demeurés très proches. C'est un ami formidable, toujours à l'écoute et prêt à rendre service. Depuis que nous nous connaissons, il ne nous est jamais arrivé d'être célibataires en même temps. Ainsi, aucune ambiguïté sexuelle n'est venue brouiller les cartes entre nous. Heureusement, car notre amitié m'aide à comprendre la gent masculine, et vice-versa. Il travaille également dans un grand cabinet de Montréal et nous pouvons passer des heures à nous plaindre de notre situation d'avocats junior. J'en profite pour lui raconter en détail ma mésaventure avec Philippe en prenant de grosses gorgées de vin entre chaque phrase.

— Je ne comprends pas. Il insiste pour que je prenne mes vacances plus tôt que d'habitude – en mars – en raison de *son horaire à lui*. Il me propose une multitude de destinations de voyages. Il change d'idée chaque fois que je m'apprête à faire des réservations. Il finit par me sermonner en me disant qu'un peu de spontanéité me ferait du bien. J'accepte de jouer le jeu et de « partir à l'aventure ». Une semaine avant *nos* vacances, il m'annonce qu'il part en voyage de surf avec ses amis. Oh, je peux y aller avec eux, mais il m'explique que je risque de ne pas être très à l'aise parce que les autres ne seront pas accompagnés. Il me dit aussi que la mer est très forte, qu'il n'y a rien d'autre à faire que du surf, que Marc vient de se faire laisser et qu'il a envie de se retrouver entre copains… Bref, je ne suis pas vraiment la bienvenue. Peux-tu croire qu'Élise et Marie partent à la fin du mois de mai sur la Côte d'Azur et qu'elles m'avaient proposé de partir avec elles ? Mais je ne peux plus changer les dates de mes vacances, au bureau. J'ai tout fait pour les changer, mais c'est trop tard. Donc, je suis présentement en vacances, seule, à Montréal, en MARS !!!

— *Wow !* Daphnée me tuerait si j'annulais nos vacances. L'été dernier, elle m'a fait une crise pas croyable juste parce que je n'avais pas réservé une chambre avec balcon.

— D'ailleurs, elle n'était pas supposée venir boire un verre avec nous ?

— Elle va arriver un peu plus tard.

— Pourquoi Philippe agit comme ça, d'après toi ?

— Il ne s'est probablement pas posé de questions. Il fait ses affaires et ce dont il a envie, c'est tout. J'ai l'impression qu'il ne réalise pas la chance qu'il a de t'avoir comme blonde, dit-il en cognant son verre contre le mien.

— Tu as tellement raison ! Je ne devrais plus me laisser faire ! C'est décidé : fini la Sara trop gentille !!!

Dimanche 20 mars 2011
2 h 40

Je me déhanche sur la piste de danse comme s'il n'y avait pas de lendemain. Je me sens soûle et Philippe est le dernier de mes soucis. J'aperçois Alexandre et Daphnée, qui dansent un peu trop lascivement. De toute évidence, ils ont également trop bu. Je sens la sueur couler dans mon dos. Je danse avec encore plus d'énergie. J'ai la tête vide et c'est fantastique.

Dimanche 20 mars 2011
10 h 23

Ma main se promène sur la table de chevet à la recherche du combiné du téléphone. Le bruit de la sonnerie résonne jusqu'au fin fond de mon cerveau. Je réponds en balbutiant un léger « allô ». Je passe une main sur mon visage non démaquillé. Je suis rentrée aux petites heures du matin et je n'ai pas pris la peine de le nettoyer. C'est Philippe. Il a une petite voix. Je m'inquiète. Il n'a pas l'habitude de m'appeler lorsqu'il est en voyage. J'ai peur qu'il se soit blessé en faisant du surf. Je lui demande précipitamment ce qui lui arrive. Il ne répond pas. Je l'entends renifler.

— Qu'est-ce qui se passe, Philippe ? Est-ce que tout va bien ?

— Mon grand-père est décédé, tôt ce matin.

— Je suis vraiment désolée, mon chéri. Ça te fait beaucoup de peine ?

Je suis un peu étonnée de sa réaction. Je ne le croyais pas si proche de son grand-père. Ce dernier vivait en résidence depuis plusieurs années et je ne me rappelle pas que Philippe lui ait rendu visite depuis que nous sommes ensemble.

— C'est certain que ça me fait de la peine pour papi. Mais le problème, c'est que ma mère est toute seule à Montréal et ça l'affecte beaucoup. Je viens de lui parler ; elle est dans tous ses états.

— Je comprends, la pauvre. Tu vas rentrer pour les funérailles ?

— Ben non, je ne peux pas vraiment. Je me suis informé pour changer mon billet, c'est impossible.

— Il n'y a pas de vol ? Veux-tu que je vérifie ?

— C'est compliqué. Il n'y a pas de vol direct… Ça va me coûter cher en plus de tout l'argent non remboursable que j'ai déjà mis sur le voyage…

— Et tu t'inquiètes pour ta mère si tu ne reviens pas ?

— Le véritable problème est qu'elle doit aller à Chicoutimi mercredi et qu'elle n'a personne pour la conduire. Tu sais, elle ne voit pas bien de l'œil gauche.

— Qu'est-ce qu'elle préfère, l'avion, le train ou l'autobus ? Je vais aller vérifier les horaires tout de suite, dis-je en voulant me rendre utile et en m'assoyant sur le lit.

Philippe ne me répond pas. Je me demande si la ligne a coupé. Je fais un « allô ? » inquisiteur. J'entends des reniflements et un léger toussotement.

— Philippe, est-ce que ça va ?

— Je ne me sens vraiment pas bien. Je suis désolé de te demander ça, particulièrement en sachant que tu étais fâchée qu'on ne parte pas ensemble en vacances, mais je suis vraiment mal pris, Sara. C'est ma mère, et son père est mort. Et tu sais, elle n'est déjà pas à l'aise en temps normal dans les transports publics, alors là, tu t'imagines… Je me demandais si tu pouvais la conduire à Chicoutimi.

— Hein?

— Je sais que c'est vraiment une grosse faveur que je te demande.

— C'est combien de temps en voiture?

— Quatre heures…

— Tu es certain? Ce n'est pas plutôt cinq heures?

— Pourquoi tu me le demandes si tu le sais déjà? me répond-il.

Son ton agressif me surprend et me laisse sans mots.

— Excuse-moi, Sara. Je ne voulais pas être bête. Je ne sais pas ce qui m'arrive. Je suis à bout de nerfs. Ça n'a aucun sens ce que je te demande. Je ne peux pas croire que ça m'arrive maintenant. J'ai travaillé comme un malade, ces derniers mois, et dès que je peux relaxer… Merde, je sens que mes palpitations recommencent. Je ne peux pas croire… Je suis désolé, Sara, je suis encore tout à l'envers…

Philippe ne parle plus. J'entends des reniflements encore plus forts. Il pleure. Misère… Je sens mon cœur flancher, même si une voix sourde me rappelle la cruelle vérité: 1) je travaille aussi fort que lui, sinon plus; 2) moi aussi j'ai besoin de relaxer, et mes vacances sont à l'eau par sa faute; 3) il ne ferait probablement pas ça pour moi – je dois le supplier à genoux pour le convaincre de venir souper dans ma famille une fois par année.

— Bon, ce n'est pas grave. Je vais aller avec ta maman à Chicoutimi. De toute façon, ce n'est pas comme si je faisais quelque chose pendant mes vacances…

— Je sais, et ça aussi c'est ma faute. J'ai gâché tes vacances. Je suis vraiment con. Je vais me rattraper, promis. Je t'emmène à New York en avril pour l'ouverture du restaurant. Tu vas voir, je vais te traiter comme une reine. Merci, Sara. T'es vraiment la meilleure, je ne sais pas ce que je ferais sans toi.

Philippe raccroche sur ces belles paroles. Je me laisse tomber dans le lit. Je regarde les rideaux de lin blanc qui encadrent la fenêtre se soulever au gré de la brise glacée. Leur couleur claire contraste avec le gris foncé des murs de béton de douze pieds de hauteur. Je me suis battue avec cette fenêtre pour l'ouvrir avant de me coucher. C'était par plaisir et un peu par contestation. Philippe ne veut jamais ouvrir les fenêtres. Il fait de l'insomnie et chacun des petits bruits de la ville le tourmente. Je me convaincs que j'ai pris la bonne décision, malgré ce que j'ai pu me promettre hier en présence d'Alexandre. Il faut bien s'aider, entre amoureux.

Vendredi 6 mai 2011
18 h 22

Je tente désespérément d'attacher les agrafes de mon corset satiné. Philippe est revenu de son séjour à New York au début de la semaine. Il m'a surprise, à son arrivée, avec un immense bouquet de fleurs et un t-shirt I ♥ NY. Il a été de bonne humeur toute la semaine. Il s'est même excusé de son comportement en m'expliquant qu'il avait oublié sa promesse en raison des émotions causées par le décès de son grand-père. J'ai choisi de le croire. J'ai vraiment envie de mettre derrière nous nos discordes passées. J'ai décidé d'organiser un souper romantique à la maison. J'ai fait préparer le repas par le traiteur préféré de Philippe. J'ai acheté du champagne et du chocolat noir, mais le clou de la soirée est l'ensemble de lingerie dont je viens de faire l'acquisition. Il est absolument magnifique. Il s'agit d'un luxueux corset avec jarretelles et petite culotte assortie. Le tout est en soie fuchsia garnie d'une fine dentelle gris foncé. C'est la première fois que j'ose porter des dessous aussi sexy ! Je veux remettre du « pétillant » dans notre vie de couple. Un seul petit problème : pas facile à enfiler seule, ce beau corset. Je me regarde dans le miroir avec exaspération. J'ai chaud tellement je me débats pour l'attacher. Je n'ai pas eu ce problème dans la boutique de lingerie fine, puisque la vendeuse a fait tout le travail. Ce n'est pas comme si je pouvais l'appeler pour qu'elle vienne ici me prêter main forte !

J'ai le souffle coupé, mais à force de contorsions j'ai finalement réussi à attacher le corset. J'enfile de longs bas résille de couleur chair que je fixe aux jarretelles. Je choisis une robe grise ajustée. La robe est assez sobre, mais lorsque je m'assois et croise les jambes, la petite boucle fuchsia de la jarretelle devient apparente sur ma cuisse. Très aguichant ! Je chausse des souliers vernis à talons aiguilles de couleur grise. Je regarde ma réflexion dans le miroir. En raison du corset, ma poitrine semble vouloir jaillir du décolleté de ma robe à chacune de mes inspirations. Je trouve ça drôle ; j'ai l'impression d'être une noble à l'époque de Marie-Antoinette !

Vendredi 6 mai 2011
19 h 53

Je suis assise seule à la table devant les entrées que j'ai minutieusement disposées dans leur assiette pour faire une belle présentation. Philippe est en retard. Il m'avait pourtant promis qu'il renterait tôt pour le souper. Je tente de le joindre à nouveau sur son portable. Je tombe dans sa boîte vocale. Je reçois un message texte sur mon téléphone : « En meeting, texte-moi. » Je lui envoie un message pour lui demander à quelle heure il pense arriver. Après une dizaine de minutes, il me répond : « Gros meeting, mange sans moi, désolé. » Je suis extrêmement déçue et sens le chagrin m'envahir. Je lui demande s'il va rentrer tard.

Il me répond : « Dans une heure max. » Je décide de ne pas me laisser déprimer et me lève pour mettre les assiettes au frais. Je n'ai absolument aucune envie d'être de mauvaise humeur. Ce n'est pas grave, après tout, s'il arrive un peu plus tard. Je vais l'attendre. J'ai décidé de passer une belle soirée et c'est ce qui va arriver !

Vendredi 6 mai 2011
21 h 46

J'entends enfin la porte du condo s'ouvrir. Je vais accueillir Philippe en faisant un effort pour être joyeuse. Je m'approche de lui et l'enlace. Je remarque immédiatement qu'il sent l'alcool. Il me donne un baiser rapide et se dégage de mon étreinte. Il se dirige vers le salon en enlevant son veston.

— Je suis crevé…

— Est-ce que tu as faim ? J'ai mis le souper au réfrigérateur.

— C'est gentil, mais j'ai déjà mangé, répond-il en s'écroulant sur le sofa.

— Ah oui ? Tu as pris un verre aussi ? C'était où, ton meeting ?

— C'était au *Vin et Martini*, dit-il en allumant la télévision.

— Tu étais dans un 5 à 7 ?

— Mais oui, il y avait des clients importants. Tu le sais, Sara, comment c'est dans mon milieu. Combien de fois encore il faut que je te l'explique ? rétorque-t-il sur un ton déplaisant.

Je regarde Philippe assis sur le sofa. Qu'est-ce qu'il peut être bête lorsqu'il le veut. Je dois me raisonner pour ne pas entamer une dispute. Ce n'est pas vrai que je vais encore me chicaner avec lui. Je me convaincs qu'il doit simplement être fatigué. Je m'assois à côté de lui.

— Prends-le pas comme ça, je suis curieuse, c'est tout. Je me suis ennuyée.

— Je m'excuse, mon amour… J'ai eu une grosse journée…

— Est-ce que tu veux prendre un verre ? J'ai acheté du champagne !

— Non, j'ai assez bu. Mais toi, prends-en si tu veux.

Je ne vais pas ouvrir la bouteille seulement pour moi. Ce n'est pas grave, je la garderai pour une autre occasion. Je me rapproche de Philippe. J'essaie de m'asseoir dans différentes positions afin qu'il puisse remarquer ma jarretelle fuchsia. Je suis certaine que mes dessous vont complètement changer son humeur. Mes tentatives de mouvements suaves avec mes jambes n'ont aucun effet sur lui. Toute son attention est dirigée sur la télévision ; il est bien trop concentré par sa séance de *zapping*.

— S'il te plaît, mon chéri, peux-tu éteindre la télévision ? lui demandé-je en adoptant une attitude coquette.

— Pourquoi tu ne sors pas avec Marie ou Élise, ce soir ? propose-t-il au lieu d'éteindre l'appareil.

— Mais non. Je veux passer la soirée avec toi !

— C'est juste que… tu n'arrêtes pas de bouger. Si tu as un trop-plein d'énergie, ne te gêne pas pour moi ; tu peux sortir et aller danser avec tes amies.

Non mais je rêve ? Il ne comprend vraiment rien ! C'est absurde ! Est-ce qu'il faut que je porte une pancarte de femme sandwich mentionnant : « Je veux qu'on fasse l'amour comme des bêtes ! » ?

— J'ai envie d'être avec toi, Philippe. S'il te plaît, éteins la télévision.

Philippe obéit et se tourne vers moi. Son regard se pose sur le décolleté de ma robe. Enfin, nous allons pouvoir passer aux choses sérieuses. Il fronce les sourcils.

— Ta robe est vraiment trop serrée. Je ne sais pas c'est quoi le problème, avec les filles, de toujours vouloir porter du *small*. Tu sais, il n'y a rien de mal à porter du *medium*... Tu vas pouvoir respirer au moins.

Son commentaire a l'effet d'une douche froide. Je me sens soudain comme une vraie conne, assise sur le sofa à faire la belle. J'étouffe dans mon corset. Je me lève et me dirige vers la chambre à coucher. Je ferme la porte derrière moi. J'enlève ma robe et désagrafe le corset en quelques secondes. La frustration me rend efficace. J'enfile une paire de jeans et une camisole en dentelle. Et oui, c'est une *small*! J'envoie un message texte à Marie pour lui demander ce qu'elle fait. Je retouche mon maquillage devant la glace. Non mais, qu'est-ce que je peux être stupide! Je fais toujours des efforts monumentaux pour lui plaire et ça ne sert absolument à rien! Il ne le méritait même pas! Je m'étais pourtant fait la promesse de changer d'attitude.

Et moi qui ai été si facilement amadouée par ses fleurs et son chandail *cheap* probablement acheté en vitesse dans une boutique de l'aéroport. Vraiment, quelle conne! Je me sens humiliée. J'ai envie d'aller lui arracher la tête, mais je suis encore plus en colère contre moi. J'en fais trop: traiteur, champagne, déshabillé... En plus, je passe la soirée à l'attendre pour finalement me faire rejeter! J'aurais dû changer mes plans à la minute où j'ai compris qu'encore une fois il avait décidé de ne pas rentrer souper sans m'avertir.

Marie me répond qu'elle est chez elle avec quelques amis et m'invite à aller les rejoindre. Je chausse les souliers vernis à talons hauts que je portais avec ma « robe trop serrée ». C'est beau avec mes jeans. Je sors de la chambre en nouant autour de ma taille la ceinture de mon *trench-coat* noir. Philippe a rallumé la télévision. Il ne s'est aperçu de rien. Je me demande si je pourrais être plus insignifiante à ses yeux.

— Je vais aller chez Marie, finalement.

— OK, bonne soirée! répond-il sans même se retourner.

J'attrape la bouteille de champagne qui est encore sur la table dans un seau à glace où il ne reste plus que de l'eau. J'ai besoin d'alcool. Je sors de l'appartement en vitesse en voulant absolument reléguer aux oubliettes ce misérable épisode de ma vie.

2

La table de chevet

Jeudi 12 mai 2011
17 h 52

J'essaie de jongler avec mon verre de vin et le canapé qu'on vient de me servir pour attraper une serviette de papier. Je décide d'engloutir la tartelette verdâtre en entier pour faciliter la chose. Erreur ! C'est vraiment mauvais. Je n'ai malheureusement pas d'autre choix que de l'avaler. Je ne peux quand même pas cracher sur le beau plancher de bois franc du hall du cabinet. Je bois une gorgée de vin pour me rincer la bouche. Je me rappelle tout de même de faire attention, ce n'est jamais une bonne idée d'être soûle dans les cocktails de bureau. Pourtant, c'est une activité très propice aux abus : l'alcool à volonté, les canapés toujours mauvais et l'ambiance lourde.

Nous assistons aux cocktails de bureau davantage par obligation que par plaisir. Ne pas faire acte de présence paraîtrait très mal. Personne ne veut qu'on dise à son endroit qu'elle n'a pas l'esprit d'équipe. Mais la vérité, c'est que les avocats n'ont pas tellement l'esprit d'équipe, du moins ceux de mon bureau.

Les cabinets d'avocats ne sont pas organisés comme la majorité des grandes entreprises, qui sont structurées selon une hiérarchie pyramidale. Nous n'avons pas de président, vice-présidents, directeurs… mais quatre-vingt-sept associés. Nous avons certainement un associé directeur et des chefs de secteur, mais ils ne jouent que des rôles administratifs. Ces quatre-vingt-sept associés ont chacun des intérêts divergents et détiennent leur propre clientèle. La crainte de se faire voler ses clients est une pathologie paranoïde grave très répandue chez les avocats, ce qui ne favorise pas les liens étroits.

Me Lambert avance dangereusement dans ma direction. Je regarde autour de moi, désespérément à la recherche d'un groupe auquel je pourrais me joindre. Vite, vite! Je toise rapidement mes collègues rassemblés en grande partie près du buffet et du bar. Je distingue un sous-groupe dans lequel me fondre. Je fonce et joue du coude pour m'inclure dans leur cercle. Marc-Olivier – quatre ans de Barreau, junior dans mon secteur – raconte de manière très animée ses derniers exploits à Benoît – huit ans de Barreau, tout nouvellement associé au secteur corporatif – et à Hélène – cinq ans de Barreau, secteur propriété intellectuelle. Benoît rit bruyamment devant les mimiques exagérées de Marc-Olivier, alors qu'Hélène se contente de sourire. Marc-Olivier, encouragé par Benoît, en met davantage:

— Je voyais que le témoin commençait à avoir chaud. Je me suis dit que c'était le bon moment et je lui ai demandé: «Pourquoi avoir retiré les cartouches de vos propres imprimantes?» Alors il m'a répondu comme si c'était une évidence: «Bien, parce qu'elles fonctionnaient mal!» Je vous jure que la mâchoire de son avocat est tombée sur la table. J'ai ajouté: «Monsieur le juge, je veux porter à votre attention le fait que le témoin vient d'admettre que les cartouches vendues à mon client étaient défectueuses.» Incroyable!

C'est la cinquième fois aujourd'hui que je l'entends raconter cette anecdote. Son bureau est adjacent au mien et je ne pensais pas qu'il était possible de faire autant de millage avec la même histoire. Par contre, je ne l'ai pas entendu raconter comment il avait manqué le délai d'inscription dans ce dossier et comment il a envoyé une stagiaire plaider à genoux une prolongation à sa place. Marc-Olivier affiche toujours un air trop confiant. Il n'est pas très grand, chaque année son ventre s'arrondit malgré ses vingt-huit ans et ses cheveux courts foncés et frisés sont toujours pris dans un gel épais. Il a pour habitude de fréquenter plusieurs filles à la fois. Son arrogance séduit la gent féminine, mais rarement à long terme. Il ne manque jamais de mentionner dès la première rencontre son salaire d'avocat œuvrant au sein d'un grand bureau. L'associé directeur du cabinet, mon chef de secteur, ainsi que Me Lambert, accompagnés de deux stagiaires, se joignent à notre groupe. La conversation dévie sur l'importance de se bâtir une clientèle et de développer son réseau. Une des stagiaires mentionne que c'est une tâche difficile, particulièrement pour les filles. Je lui dis qu'elle n'a pas tort :

— Les entreprises sont encore majoritairement dirigées par des hommes, et c'est plus difficile pour les jeunes femmes qui ne partagent pas nécessairement les mêmes intérêts. Par exemple, on s'entend pour dire que le golf et le poker sont des loisirs plus typiquement « masculins ».

— Tu pourrais toujours les emmener magasiner ! lance Marc-Olivier sur un ton condescendant.

Mon visage change. Benoît et Me Lambert laissent échapper de gros rires gras. Je m'en veux terriblement d'avoir ouvert la porte à ce genre de remarque. J'avais oublié un moment que je n'étais pas entre amis. Je n'aurais jamais dû aborder ce sujet. Je vais maintenant passer pour la fille qui éprouve de la difficulté à établir des liens d'affaires alors que c'est tout le contraire.

Marc-Olivier s'empresse de mettre son bras autour de mes épaules afin de m'empêcher de répliquer.

— Mais non, Sara, ne le prends pas mal. Je fais des blagues. Je comprends tout à fait ce que vous vivez.

Jeudi 12 mai 2011
19 h 23

Je me laisse tomber sur ma chaise devant mon ordinateur. Je pose mon verre de vin sur mon bureau. Le cocktail est terminé, mais j'ai encore du travail. J'inscris dans mes feuilles de temps : « Cocktail du bureau – 2,25 heures. » En plus des mille huit cents heures facturables que nous devons faire chaque année, nous devons également remplir cent cinquante heures d'activités de réseautage ou administratives.

Jeudi 12 mai 2011
20 h 57

J'écoute distraitement les conversations autour de la table. Je suis allée rejoindre Philippe dans un des restaurants qu'il a rénovés. Son bras est appuyé nonchalamment sur le dossier de ma chaise et il parle bruyamment avec ses amis. Ils sont tous accompagnés de leur copine – y compris Marc, qui doit avoir repris avec son ex. Ces filles sont pour la plupart beaucoup plus jeunes qu'eux. Philippe et moi affichons la plus petite différence d'âge des couples présents ; j'ai vingt-huit ans et il en a trente-cinq. Les sujets de discussion ne varient pas beaucoup et se classent sous deux grands thèmes : les mauvais coups des garçons ou les exploits des garçons. De plus, tout est prétexte aux insultes directes et grossières. J'en suis venue à la conclusion que plus l'insulte envers l'un des membres du groupe d'amis est grande, plus la marque d'affection l'est aussi.

— On pensait tous que c'était fini pour Ludo, mais, l'enculé, c'est lui qui a réussi à l'avoir !

— C'est certain, il serait capable de vendre sa mère à un bordel en Afghanistan pour réussir !

Cela ne laisse pas beaucoup de place pour leurs copines, qui souvent se contentent de rire ou de parler entre elles de sujets parallèles. La conversation glisse sur l'affaire Bélanger. Michel Bélanger, un homme d'affaires redouté et un acteur important dans le secteur très chaud de la prospection gazière au Québec, s'est fait accuser en début de semaine d'avoir commis une agression sexuelle sur l'une de ses employées, Évelyne St-Germain. Depuis, l'histoire fait les manchettes tous les jours et attise les passions. Les garçons ont des opinions partagées sur l'affaire ; certains sont persuadés de la culpabilité de Michel Bélanger alors que d'autres parlent d'un coup monté. Par contre, ils s'entendent tous pour dire qu'il est dans une sale position. Daniel commence à parler du sujet avec agressivité. Il n'est pas un ami proche de Philippe, ni des autres. J'ai souvent été témoin de conversations peu élogieuses à son égard de la part du groupe, en son absence. C'est un homme aigri et belliqueux qui change de copine tous les deux mois. Il est plus âgé que les autres et les connaît depuis moins longtemps. Il est rarement de bonne compagnie, mais les garçons le tolèrent en raison du nombre impressionnant de restaurants dont il est propriétaire et des fêtes mémorables qu'il organise à l'occasion de chaque début de saison.

— Je suis certain qu'il s'agit d'une petite salope qui en a après son argent. Bélanger est multimillionnaire, il peut se payer n'importe quelle fille et des bien plus *hot* que la petite pute de St-Germain.

— On verra bien avec le procès s'il est innocent, mentionne Marc afin de modérer les propos de Daniel.

— N'importe quoi, la justice, c'est n'importe quoi ! Le gars est déjà condamné ! Au Québec, tu es présumé coupable, et bonne chance pour faire la preuve du contraire. C'est sa parole contre celle de la petite salope.

Je lève les yeux de mon assiette et regarde les autres acquiescer.

— Mais non, au Québec comme dans le reste du Canada, c'est la présomption d'innocence qui s'applique. C'est à la poursuite de faire la preuve du crime hors de tout doute raisonnable. C'est une condition *sine qua none*[1] pour envoyer quelqu'un en prison, lui dis-je sur un ton neutre à titre informatif.

— Ce n'est pas vrai, ce que tu racontes! Au Québec, on est présumé coupable! Tout le monde sait ça. Écoute juste les journalistes, ils parlent toujours du présumé agresseur ou du présumé voleur.

— C'est en effet une erreur que font souvent les journalistes. J'imagine que c'est trop compliqué de dire «le présumé innocent du crime de…». Mais tu peux me croire sur parole, la présomption d'innocence est un principe de base au cœur du droit criminel canadien.

— Bon! C'est ça, défends la pute! Encore une maudite féministe! Heureusement qu'elle est belle, ta femme! lance-t-il en s'adressant à Philippe.

J'observe avec incrédulité Philippe, qui sourit malgré les propos insultants de Daniel à mon endroit. Il passe une main dans mes cheveux. Je trouve son geste très réducteur. J'essaie de me convaincre qu'il tente d'acheter la paix et qu'il me montre une marque d'affection pour me calmer.

Plus tard, dans la voiture, en route vers le condo, Philippe revient sur l'incident.

— Tu devrais faire plus attention quand tu argumentes à table. Ce n'est pas tout le monde qui aime faire des débats.

---

1. «Sans laquelle non.» Locution latine utilisée en droit et signifiant «obligatoire»: «Une condition obligatoire.»

— Quoi? Qu'est-ce que tu me dis? C'est moi qui étais déplacée?

— « Principe de base au cœur du droit criminel canadien » ; ce n'est pas parce que tu es avocate que tu peux faire passer les autres pour des imbéciles. En plus, tu fais du litige civil, tu n'es pas une spécialiste du droit criminel. Tu ne sais pas tout.

— Pardon? Je n'ai jamais prétendu que je savais tout. Je voulais dire « principe de base » dans le sens de principe fondamental de notre droit criminel. Je ne voulais rien insinuer d'autre. De toute façon, c'est quoi ton problème? Tu n'es jamais capable de prendre pour moi? Tu laisses n'importe qui m'insulter! Faire passer les autres pour des imbéciles? Ce n'était vraiment pas mon intention. Et puis les autres, c'est qui? Daniel? Mais toi-même tu le prends pour un imbécile! Qu'est-ce que tu as dit de lui la dernière fois? Ah oui : « C'est le dernier des idiots, il est moins intelligent et plus agressif qu'un pitbull affamé. »

— C'est exactement ce que je disais, tu ne peux pas t'empêcher de débattre! Tu es encore en train de t'obstiner. C'est juste que c'est lourd de t'entendre à table. Tu agaces tout le monde avec tes petites remarques savantes.

Je suis incapable d'ajouter quoi que ce soit sans que mes yeux s'emplissent d'eau. Philippe est très habile. Il peut me reprocher ce que bon lui semble. Si j'ai le malheur de répliquer, il m'accuse alors de ne pouvoir m'empêcher de débattre ou d'argumenter. C'est un coup en dessous de la ceinture, particulièrement lorsque de tels propos sont dirigés à l'encontre d'une avocate… De toute façon, je n'ai rien de plus à ajouter. C'est une évidence que personne n'a été *agacé* par mon commentaire. J'ai même de la difficulté à croire qu'ils s'en rappelleront. Philippe avance que c'est moi qui suis lourde, alors que Daniel est carrément désagréable et grossier. De plus, les autres, dont Philippe, ont passé la soirée à s'engueuler allègrement.

Celui qui criait le plus fort remportait la bataille verbale. Je ne comprends pas pourquoi Philippe agit aussi cavalièrement avec moi. Est-ce qu'il m'aime ? Est-ce qu'il apprécie ma présence, ma conversation ? Je ne sais plus. Je le regarde comme s'il était un étranger. Je sens mon amour pour lui s'effriter petit à petit.

Vendredi 13 mai 2011
10 h 56

Je suis accroupie dans le coin de mon bureau et je vomis dans ma poubelle de plastique en retenant mes cheveux d'une main. Je me dis que je suis en train de toucher le fond, mais je me félicite quand même d'avoir eu le temps de fermer la porte derrière moi.

Vendredi 13 mai 2011
9 h 50

Le téléphone de mon bureau sonne, le nom d'Yves St-Onge apparaît sur l'afficheur. Il s'agit de mon donneur d'ouvrage préféré, un associé de plus de vingt ans de pratique. Dès mes débuts au bureau, il m'a prise sous son aile. Il me protège et me confie toujours les meilleurs dossiers qui doivent être délégués à un junior. Je sens qu'il veut vraiment m'aider à parfaire mes capacités juridiques. Ses critiques peuvent parfois être sévères, mais elles sont toujours constructives. Il me fait participer à ses gros dossiers et m'offre souvent de l'accompagner lors de ses mandats les plus délicats, me donnant ainsi une occasion unique et précieuse de l'observer dans le feu de l'action. Yves St-Onge est un avocat chevronné. Je me considère chanceuse d'avoir sa confiance. De plus, il m'encourage à surmonter mes craintes et à dépasser mes limites. J'apprécie énormément sa présence ; c'est un homme très intelligent, calme et sympathique. Il approche la cinquantaine, il est toujours bien mis et garde ses cheveux très courts, probablement en raison de sa calvitie avancée. Il me demande d'aller le rejoindre à son bureau et d'apporter tous les documents que j'ai en ma possession concernant le dossier *Hôtel Price*. Il s'agit d'un litige important dans le domaine de la construction survenu lors de la réfection du très prestigieux établissement de Montréal. C'est d'ailleurs la raison qui m'a poussée à prendre des cours d'anglais, puisque tout le procès se déroulera dans cette langue.

J'arrive à son bureau accompagnée d'un préposé aux copies qui pousse un chariot chargé des nombreux documents et filières qui étaient en ma possession. Mon visage change lorsque j'aperçois Me Lambert et Marc-Olivier déjà installés dans le bureau d'Yves. Ce n'est pas un bon présage. De plus, ils occupent les sièges disponibles et je dois rester debout. Me Lambert prend la parole. C'est donc pire que je le croyais.

— Sara, comme tu le sais, nous devons préparer une défense et un plan d'argumentation dans le dossier *Hôtel Price*, dossier dans lequel tu es déjà impliquée.

— Oui, j'ai présenté deux requêtes préliminaires que j'ai gagnées. J'ai préparé les plans d'interrogatoires et assisté Yves lors de ceux-ci. De plus, j'ai colligé et regroupé toutes les pièces du dossier.

— C'est très bien, coupe sèchement Me Lambert. Maintenant, il faut passer aux choses sérieuses.

Je lance un regard à Yves St-Onge pour tenter d'anticiper ce qui vient. Il m'envoie un petit sourire fataliste ; les décisions sont prises.

— Comme je l'ai déjà mentionné, nous devons préparer un projet de défense et un plan d'argumentation. Marc-Olivier va s'en charger.

J'ai de la difficulté à encaisser le coup. Marc-Olivier possède le même nombre d'années de Barreau que moi. Il ne connaît rien à ce dossier et se débrouille à peine en anglais.

— Je suis impliquée dans ce dossier depuis le début, je crois être dans une meilleure position pour préparer la défense et le plan d'argumentation.

— La contestation dans ce dossier s'annonce *rock'n'roll*, nous avons besoin d'un junior agressif.

Il s'agit d'une façon polie de me dire que, selon lui, je ne suis pas assez solide pour m'occuper d'un important dossier de litige. Marc-Olivier en profite pour me regarder d'un air des plus suffisants. Mais je n'ai pas envie de laisser tomber aussi facilement, c'est mon dossier. C'est moi qui l'ai décroché. Je siège au même conseil d'administration que M. Price, celui du Théâtre contemporain de Montréal. C'est ma copine Marie, la secrétaire du conseil, qui avait proposé ma candidature il y a quelques années. M. Price, un fumeur, m'avait confié lors d'une pause cigarette qu'il avait reçu une mise en demeure de la part d'un entrepreneur qu'il avait évincé de son chantier. J'en avais alors profité pour vanter les mérites de mon bureau. Ensuite, il avait discuté avec son assureur et lui avait indiqué qu'il aimerait que le dossier soit pris en charge par les avocats de mon cabinet.

— Très bien, mais c'est moi qui ai convaincu le client, M. Price, de retenir les services de notre cabinet, dis-je avec une assurance forcée. J'imagine qu'il doit penser que je suis suffisamment agressive.

— Peut-être, répond froidement Me Lambert, visiblement contrarié, mais le véritable client, c'est l'assureur Vitor. C'est lui qui paie nos honoraires. M. Price n'est que l'assuré. Vitor est l'un de mes plus gros clients et ses dirigeants se fient à mon jugement depuis des années pour le bon déroulement des dossiers qu'ils nous confient. Pour te remercier de ton apport, et puisque tu connais bien l'affaire, tu demeureras au dossier afin de soutenir Marc-Olivier.

C'est le pire des scénarios. C'est moi qui ferai tout le travail et c'est Marc-Olivier qui en recevra le mérite. En plus, je serai sous les « ordres » de Marc-Olivier, un junior de la même année que moi. Quelle honte ! J'essaie une dernière tentative.

— Je me suis même inscrite à des cours de rédaction afin de perfectionner mon anglais écrit. Avec tout le respect que j'ai pour Marc-Olivier, je ne crois pas qu'il rédige en anglais, puisque tous les mandats de traduction me sont délégués pour cette raison.

— Mais c'est parfait ! Comme ça, tu pourras corriger l'orthographe et la grammaire des procédures de Marc-Olivier.

C'est le coup de grâce.

Vendredi 13 mai 2011
10 h 51

Je suis au photocopieur et je fais rageusement des copies pour le dossier *Hôtel Price*. Marc-Olivier doit les avoir *immédiatement* et mon adjointe est introuvable. Un voyant s'allume en clignotant : « Bourrage de papier. » J'ouvre le couvercle de la machine et tire sur la feuille maintenant pliée en accordéon. Elle ne veut pas céder. Je tire de toutes mes forces en lançant un juron et décroche par le fait même le tiroir à papier, qui tombe sur le sol avec fracas.

— Ouf, il ne faut pas trop te contrarier ! Le photocopieur implore ta pitié ! me lance en riant Josiane, la responsable des communications du cabinet, qui vient d'entrer dans la salle des copies.

— Je suis désolée. Je ne passe pas une très bonne journée, dis-je en ramassant les feuilles quijonchent le sol.

— Qu'est-ce qui t'arrive, ma belle ? me demande-t-elle avec une sincère attention.

— On a donné un de mes dossiers à un autre junior sans bonne raison. J'avais vraiment travaillé fort dessus…

— Depuis le temps que je travaille pour des bureaux d'avocats, j'ai compris que ça jouait vraiment très dur. Je suis heureuse de faire des communications et pas du droit. Mais tu ne devrais pas t'en faire autant. Ce n'est pas bon pour la santé. Essaie de prendre ça plus à la légère et de voir les choses du bon côté. Dis-moi, tu ne sors pas avec Philippe Fontaine ? Le fils de Claude Fontaine, le propriétaire de la chaîne d'alimentation *À la claire Fontaine* ?

— Oui…, dis-je en me demandant où elle veut en venir.

— Eh bien, tu vois, il est très riche. Vous allez vous marier, et le bureau sera le dernier de tes soucis, avance-t-elle dans l'intention véritable de me réconforter.

— Euh…

Je commence à ne pas me sentir bien. Est-ce que c'est l'image que je projette ? Une bonne petite fille pas trop fonceuse, pas trop agressive, minutieuse, travaillante comme une fourmi, qui prend des cours d'anglais, qui ne veut pas trop de responsabilités parce que de toute façon elle va finir par se marier avec son copain très riche et n'aura alors plus de soucis ? Je sens la nausée m'envahir. Je quitte précipitamment la salle du photocopieur ; je vais vomir. Pas le temps de me rendre aux toilettes, je fonce vers mon bureau.

Vendredi 13 mai 2011
10 h 59

Je noue le sac de ma poubelle et vaporise du parfum pour camoufler l'odeur. On cogne à ma porte. J'avale une menthe et prends une grande inspiration.

— Oui ?

La porte s'ouvre devant Yves St-Onge.

— Je suis désolé, Sara, pour l'*Hôtel Price*. C'est évidemment toi qui devrais t'en occuper.

— C'est moi qui l'ai fait entrer !

— Je sais, mais Vitor est le client de Me Lambert et il n'est pas prêt à laisser les rênes.

— Pourquoi me l'enlever maintenant ? Qu'est-ce qui s'est passé ? Est-ce que le client s'est plaint ?

— Pas du tout. C'est Marc-Olivier qui en a parlé avec Me Lambert lors du *Souper des assureurs*. Nous étions assis à la même table. Il a habilement souligné à Me Lambert que c'était bien de voir que tu t'occupais d'un dossier aussi important. Il a ensuite ajouté qu'il était quand même étonnant que ce dossier soit mené par une personne ayant une approche moins « agressive », considérant les parties impliquées. Est-ce que c'est vrai que tu as déjà pleuré à la cour ?

— Quoi ? Jamais de la vie !

— C'est ce qu'il a laissé croire…

— Ce n'est pas vrai ! Quel coup bas ! Et Me Lambert a gobé tout ça ! Je ne comprends pas ! Est-ce que je ne suis pas assez agressive, réellement ? J'ai gagné les deux requêtes préliminaires. Tu m'as dit toi-même que la première était impossible à obtenir, et je l'ai eue !

— Je sais, je lui ai dit tout ça. C'était comme parler à un mur. J'ai même l'impression que plus j'insistais, plus sa position se durcissait, malheureusement. Je crois qu'il voulait me montrer que c'est encore lui qui décide. Ne t'inquiète pas, Sara, tu es une très bonne avocate et Me Lambert ne contrôle pas tous les dossiers.

— Le *Souper des assureurs* ? J'étais où, moi ?

— À tes cours d'anglais…

— Argh !

Yves me laisse seule dans mon bureau. Je me sens vidée et découragée. Marc-Olivier est une véritable vipère, un être méprisable. Il est prêt à tout pour réussir. J'aurais pleuré à la cour… Quelle bassesse d'inventer une histoire pareille ! Oui, certainement, il m'arrive fréquemment de pleurer ; devant un film d'après-midi, à un mariage, en écoutant une pub de yogourt un peu trop émouvante, mais jamais, jamais, jamais dans le cadre de mon travail ! Et Me Lambert qui a littéralement sauté sur la première excuse pour me retirer le mandat. Il a de toute évidence une très mauvaise opinion de moi. C'est comme si le mensonge de Marc-Olivier était venu confirmer la perception qu'il s'était déjà faite. Je ne me sens pas outillée pour me défendre, dans ces circonstances, et je ne sais pas comment me battre contre quelqu'un qui manigance dans mon dos.

Vendredi 13 mai 2011
16 h 12

Je relis le plan d'interrogatoire que j'ai préparé dans un petit dossier de vices cachés. Je ne suis pas très concentrée, j'ai le moral à plat. Je regarde par la fenêtre. Il fait très beau. J'envisage de partir plus tôt. De toute façon, je ne peux chasser mes idées noires et l'*Hôtel Price* de ma tête. Je pense à tous les efforts investis dans mes études, à conserver chaque année ma place sur la liste d'excellence, à tous les sacrifices que j'ai consentis pour le bureau : accepter tous les mandats, suivre des cours de perfectionnement, assister à toutes les activités de réseautage, siéger à un conseil d'administration, n'avoir aucun respect pour ma santé physique et mentale, passer combien de nuits blanches et tous ces week-ends ratés. Je rage devant mon écran d'ordinateur. J'en ai marre de travailler fort sans que qui que ce soit le remarque, sauf peut-être Yves. J'ai besoin d'un peu de reconnaissance. J'entends des pas dans le corridor. Marc-Olivier me voit et s'arrête devant ma porte en affichant un air malin.

— Je commence la rédaction de la défense dans *Hôtel Price*. J'ai besoin de me concentrer, peux-tu aller me chercher un café ?

Je sens la colère m'envahir et le sang frapper contre mes tempes. Je le tuerais. Devant mon regard meurtrier, il s'éloigne en disant : « Je fais des blagues, Sara, je fais des blagues. » C'est l'argument dont j'avais besoin pour quitter immédiatement le bureau.

Vendredi 13 mai 2011
18 h 21

J'ai décidé de rentrer au condo à pied. J'avais besoin de changer d'air. J'en ai profité pour flâner au centre-ville et faire du lèche-vitrine. Par contre, je n'ai pas trouvé le courage d'entrer dans les boutiques. Mon moral est au plus bas. Je me suis arrêtée seulement pour acheter des sushis. Philippe est étendu sur le sofa lorsque j'ouvre la porte de l'appartement et il est très heureux de me voir arriver avec le souper. Nous nous installons au comptoir plutôt qu'à la grande table de verre qui meuble la salle à manger. Je tente de lui parler de ma journée misérable, mais je le sens distrait.

— Donc, tu n'es pas heureuse d'écoper du travail de Marc-Olivier.

— Non, ce n'est pas ça, j'ai perdu le mandat au profit de Marc-Olivier et je ne demeure au dossier que pour l'assister et corriger ses fautes ! rectifié-je en remarquant que Philippe tape quelque chose sur son téléphone intelligent.

— Peut-être que ça va te permettre de travailler moins souvent les week-ends.

— Tu ne comprends pas, c'était MON dossier. À qui t'écris ?

— À Ludo, il vient de s'acheter une nouvelle voiture.

Je lui lance un regard désapprobateur et il met à contrecœur son téléphone de côté.

— J'ai l'impression que je fais du surplace au bureau. Il y a quelque chose qui m'échappe. En plus, c'est vraiment humiliant.

— Qu'est-ce qui est humiliant ?

— De devoir être la subalterne de Marc-Olivier dans mon dossier ! Est-ce que tu m'écoutes ? lui dis-je avec exaspération.

— Mais oui, mais oui… et c'est pour ça que tu as pleuré à la cour…

— JE N'AI JAMAIS PLEURÉ À LA COUR !!!

— Ne t'énerve pas…

— Mais tu ne m'écoutes pas !

— Sara, moi aussi j'ai eu une grosse journée. Discuter de tes problèmes de bureau pendant le souper, ça ne m'aide pas à décrocher. En plus, c'est super mauvais pour ma digestion…

— J'ai besoin de t'en parler.

— Ce n'est peut-être pas le meilleur moment. T'écouter fait remonter le stress de ma semaine.

— Parce que tu penses qu'en plein milieu de la nuit, quand TOI tu angoisses sur tes problèmes au travail, c'est un meilleur moment ?

— C'est toute une entreprise, que je supporte, MOI…

— Parce que ma carrière, ce n'est pas important ?

— Mais oui, mais oui… Je t'écoute, me répond-il avec flegme.

— Laisse tomber.

— Bon, tu vas bouder maintenant.

— Non, non, je veux juste profiter des sushis, dis-je sincèrement, n'ayant pas envie d'ajouter à ma journée désastreuse une querelle de plus avec Philippe.

— C'est faux, tu fais la gueule !

— Mais non, je te dis.

— Je te connais, Sara, et je le vois sur ton visage !

— Arrête ! Je ne suis pas fâchée. Tu n'es pas attentif à mon histoire, mais ce n'est quand même pas un *casus belli*[2] !

---

2. « Cas de guerre. » Expression latine signifiant un acte assez grave pour justifier une déclaration de guerre de la part d'un État.

— C'est ça! Avec toi, ça finit soit en argumentation, soit avec du latin! Tu dois toujours avoir le dernier mot! Je ne comprends pas le latin, moi! vocifère Philippe, qui se lève en colère pour aller manger devant la télévision.

— Attends, tu ne me laisses même pas t'expliquer!

— Ça ne m'intéresse pas! me crie-t-il depuis le salon.

Je me retrouve seule avec mes problèmes devant mes sushis. Si je ne faisais pas la gueule, maintenant je suis vexée… et triste. Je sais très bien comment la soirée va se terminer. C'est moi qui finirai par aller m'excuser auprès de Philippe. Même si c'est lui qui ne m'écoute pas. Même si c'est lui qui s'emporte pour rien. Même si c'est lui qui agit comme un adolescent en mettant fin à notre souper avec fracas.

Lundi 16 mai 2011
8 h 53

Je cours sur le perron de l'édifice à bureaux avec ma mallette à roulettes. Je vais être en retard à l'appel du rôle de la cour. On vient de me déléguer un mandat « surprise » à la toute dernière minute. Le stand à taxis est désert et il n'y a aucune voiture à l'horizon. C'est bien ma chance! En plus, il y a déjà un homme qui y attend. Je me mets à ses côtés en regardant l'heure sur mon téléphone cellulaire. L'homme se retourne et me lance un sourire des plus charmants. Il s'agit d'un confrère, Me Vincent Langelier, contre qui j'ai souvent plaidé. Il ne compte que deux années de pratique de plus que moi et nous sommes souvent impliqués dans les mêmes dossiers, puisqu'il travaille également en litige construction, mais pour un cabinet concurrent dont les bureaux sont situés cinq étages plus bas que les nôtres. C'est un avocat brillant et talentueux qui est toujours agréable dans ses relations de travail – ce qui est une qualité rare dans ma profession.

— En retard à la cour? me demande-t-il.

— Oui. Est-ce que c'est là que tu vas aussi?

— Oui.

Je vois un taxi qui tourne le coin, aucun autre ne le suit.

— Super! Je peux monter avec toi?

— Certainement, Sara.

Soulagée d'être assise dans le taxi, j'ouvre ma mallette coincée de travers entre mes pieds. Je n'ai aucune idée des faits du dossier pour lequel on m'envoie à la cour. Je tourne frénétiquement les pages de procédure que je lis en diagonale. Je sens le regard de Vincent sur moi:

— Matinée difficile? interroge Vincent. Qu'est-ce que tu vas faire à la cour?

— C'est exactement ce que j'essaie de découvrir…

— Je vois. C'est ce genre de matinée, répond-il, compatissant mais tout de même amusé.

— Tu sais quoi? lui dis-je en levant mon nez de mes documents pour l'observer. Je suis vraiment fatiguée des dossiers délégués à la dernière minute. Ça n'a aucun sens!

— Il ne faut pas les accepter, dans ce cas.

— C'est justement ça, le problème. J'en ai assez de toujours dire oui, d'être constamment disponible et de consentir à tout. Je pense que je suis *over* fiable. J'ai l'impression qu'on abuse de moi!

— Tu devrais venir travailler pour mon bureau, il y a toujours de la place pour d'excellentes plaideuses.

Je ris dans ma barbe. Nos cabinets se font une compétition féroce puisqu'ils détiennent les deux plus grands départements de litige construction dans la province. Chacun d'eux tente constamment de débaucher les avocats de son rival pour les attirer chez eux.

— Pour recommencer à zéro ailleurs? Non, merci. De toute façon, tu dis ça seulement parce que je t'ai battu à la cour, la dernière fois.

— Oui, mais si tu n'es pas heureuse dans ton cabinet…

— Non, ce n'est pas ça. J'ai juste envie de faire quelque chose…, dis-je de façon évasive.

— Faire quoi?

— Je ne sais pas encore. Pour l'instant, j'ai juste envie de faire quelque chose d'irresponsable ou d'incroyablement stupide.

— Comme quoi? insiste-t-il encore plus intrigué.

— Je n'en ai aucune idée. Je veux juste sortir de ma routine de bonne petite fille. De toute façon, ça risque de me passer, conclus-je en replongeant dans mon dossier.

— Hé! s'exclame Vincent en regardant par-dessus mon épaule, c'est *McGuire contre Excavations Trudeau*! C'est moi qui représente Excavations Trudeau!

— Tu me niaises?

— Non, répond-il en riant de bon de cœur. Je ne pense pas que tu vas gagner cette fois-ci!

— Eh, criss…, laissé-je échapper entre mes dents.

Lundi 16 mai 2011
11 h 52

Je dicte un mémo résumant mon avant-midi, qui s'est déroulé exactement comme je l'avais imaginé : j'ai pitoyablement perdu la contestation de la requête. Non seulement je connaissais à peine le dossier, mais je pouvais difficilement simuler le contraire, puisque Vincent était au courant. Évidemment, il faisait exprès de me poser des questions pointues sur des détails, le sourire en coin. J'ai capitulé rapidement. En sortant du palais de justice, j'ai envoyé la main à Vincent en souriant finalement à mon tour. C'était de bonne guerre et j'aurais fait la même chose. Par contre, je ne lui ai quand même pas proposé de partager un taxi pour le retour…

Lundi 16 mai 2011
12 h 40

Je mange un sandwich dans la foire alimentaire qui se trouve en dessous de la tour où logent les bureaux d'Alexandre. Il m'écoute déblatérer sur tous mes problèmes depuis vingt-cinq bonnes minutes.

— Je l'ai toujours détesté, Marc-Olivier. Même à l'université, je ne pouvais pas le supporter. Et il est toujours en train de se vanter…, ajoute Alexandre.

— C'est un con *prima facie*[3] !

— Tellement ! Tu ne dois absolument pas te laisser faire.

— Facile à dire. Même sans l'intervention de Marc-Olivier, j'ai l'impression que les bons mandats dans les dossiers d'envergure m'échappent. Je me ramasse soit avec des petits dossiers – ce qui n'est pas si terrible –, soit avec des tâches cléricales dans les grands dossiers – ce qui est inacceptable. On ne devient pas associé en résumant des interrogatoires, en classant des pièces ou en faisant des traductions. Je suis tellement tannée…

— Est-ce que c'est moi ou ça va faire quatre ans que je t'entends te plaindre ? Tu parles beaucoup, mais tu ne fais pas grand-chose.

— Toi aussi tu t'es plaint pendant des mois avec ton histoire de patron bipolaire, lui réponds-je, vexée et sur la défensive.

— Oui, mais j'ai demandé qu'on me change de groupe et ça va beaucoup mieux maintenant. Je te rappelle qu'il s'agissait de *ton* conseil de demander un transfert, conseil que j'ai suivi et qui m'a amené à une bien meilleure position. Je ne te dis pas ça pour te faire de la peine ; je pense seulement qu'il est temps pour toi de faire des gestes concrets.

---

3. Expression latine utilisée en droit et qui signifie «à sa face même», «au premier regard».

— Tu sais quoi ? Tu as raison ! Je suis au bout du rouleau. Je me suis même plainte devant un confrère que je connais plus ou moins, ce matin dans un taxi ! Merci, Alexandre ! C'est ce que j'avais besoin d'entendre.

Je me lève, lui fais la bise et me dirige vers la sortie d'un pas décidé. Soudain, je reviens à la table et me rassois.

— J'ai quand même encore du temps pour prendre un café.

Alexandre éclate de rire.

Lundi 16 mai 2011
17 h 36

Je quitte André Beaulieu en riant. Il est le contremaître de ma cliente Construction Cava et nous plaisantions sur les messages codés qu'utilisent parfois les ouvriers pour communiquer entre eux à l'insu des autres. André m'a expliqué qu'ils les utilisent le plus souvent pour avertir leurs compagnons de travail du passage de belles femmes à proximité du chantier. Par exemple, pour annoncer la présence d'une dame possédant de beaux atouts, un ouvrier criera : « Le plombier est arrivé ! », ce qui fonctionne à merveille, d'autant plus si celui-ci n'est pas attendu.

En début d'après-midi, j'ai accompagné André lors de son interrogatoire hors cour par les avocats de la partie adverse. Je suis plutôt satisfaite de son déroulement. Par mes nombreuses objections, j'ai réussi à déstabiliser l'avocat adverse et à lui faire perdre le fil de ses questions. Mais surtout, André m'a couverte d'éloges pendant le trajet de retour en taxi. Je suis tellement en manque d'approbation que je buvais littéralement ses paroles. J'avais envie de lui crier : « Ah oui, André, encore des compliments ! »

En entrant dans mon bureau, je remarque un petit papier rose sur ma chaise portant l'écriture de Maryse,

mon adjointe. À côté de la case cochée « un appel de »,
je peux lire « Simone Clermont ». Je souris. Il s'agit de
ma tante, que j'adore. Je la rappelle immédiatement.
Une voix enjouée me répond :

— Bonjour, ma belle Sara ! Comment ça va, ma
chérie ? Oh, je suis certaine que tu travailles trop.

— Tout va bien, Simone. Qu'est-ce que je peux faire
pour toi ?

— Non, c'est qu'est-ce que ta bonne tante peut faire
pour toi ! dit-elle d'une voix excitée.

— Hein ?

— Tu sais, la petite table de chevet Louis XVI toute
menue et haute sur pattes de grand-maman ? Tu te
rappelles, celle dans laquelle tu t'amusais à cacher tes
trésors ?

— Certainement ! J'ai tellement joué à la princesse
avec cette table. C'est vraiment une pièce magnifique.

— Eh bien, ma chère, en faisant le ménage hier dans
mon salon, je me suis soudain souvenue à quel point
tu étais mignonne quand tu jouais avec. Je me suis dit
que grand-maman aurait préféré que ce soit toi qui la
gardes.

— Je ne suis pas certaine que…

— Non, non. Ma décision est prise et j'insiste. J'aurais dû le faire avant, mais j'étais encore trop émotive.

— Ce n'est pas nécessaire, Simone.

— Fais-moi plaisir et prends la table, à moins que
tu n'en veuilles pas.

— Ce n'est pas ça, j'y suis attachée, mais…

— Bon, c'est fait ! Je vais la porter chez toi ce soir. À
quelle heure je peux passer ?

Lundi 16 mai 2011
19 h 15

J'inspecte la splendide table de chevet antique de
ma défunte grand-mère. Je n'en reviens pas de ma

chance. Ma tante vient tout juste de me la laisser. Ma main glisse sur la dentelle sculptée dans le bois et vernie. Une multitude de souvenirs jaillissent de ma mémoire. Je pense à ma grand-mère, à ses gâteaux, à mes robes de princesse… Je place la table dans un coin stratégique du salon. Je trouve le contraste du meuble Louis XVI et du décor très moderne du condo superbe.

Lundi 16 mai 2011
19 h 51

Mes pâtes seront bientôt cuites. Je tourne les gros pétoncles dans la poêle en ajoutant un peu de vin blanc à la sauce. J'entends Philippe qui déverrouille la porte d'entrée. Il fait son apparition dans la cuisine et me sourit.

— Humm, ça sent bon !

— Je prépare des linguines aux pétoncles, sauce à la crème, citron et vin blanc.

— Super, dit-il en se dirigeant vers la salle de bain.

Je finis de mettre la table et nous sers du vin. J'égoutte les pâtes alors que Philippe tente de me parler depuis le salon.

— Je ne t'entends pas bien, Philippe, je cuisine !

— C'est quoi, cette table ? redit-il plus fort.

Je mets les pâtes de côté et je vais le rejoindre dans le salon.

— C'est la table Louis XVI de ma grand-mère, dis-je avec enthousiasme. Ma tante est venue me la porter. Elle pense que c'est moi qui devrais l'avoir. Elle est en parfait état !

— Oui, je vois bien, mais je ne crois pas qu'elle aille avec le reste du mobilier.

— Au contraire, je trouve ça beau, ça contraste !

— Moi, je n'aime pas ça. Tu ne peux pas la laisser chez ta tante ?

— Non. Si je la retourne, elle va simplement la garder pour elle, répliqué-je en changeant d'humeur. Je l'aime vraiment, cette table.

— Pourquoi tu ne demandes pas à ta mère de la prendre en attendant?

— En attendant quoi, Philippe?

— Je ne sais pas, qu'on s'achète une grande maison victorienne à Westmount, raille-t-il.

— N'importe quoi. De toute façon, ça va bientôt faire cinq ans que je mets de l'argent de côté pour qu'on s'achète quelque chose ensemble et tu n'es toujours pas prêt. Écoute, elle est minuscule et entre parfaitement dans le coin du salon.

— Ça alourdit la pièce. Je trouve ça laid. Je peux la remiser dans un de mes entrepôts, si tu préfères.

— Tu es sérieux? Tu veux vraiment que je m'en débarrasse?

— Je ne trouve pas qu'elle a sa place dans le condo.

— C'est le seul meuble qui m'appartient dans tout l'appart!

— T'aurais dû m'en parler avant de la prendre, c'est mon condo.

— Je ne suis pas chez moi ici?

— Ce n'est pas ça, la question.

Je sens une déchirure en moi. Je manque d'air. Nous formons un couple depuis six ans et nous habitons ensemble depuis cinq ans. Je me rends soudain compte que je suis la seule à m'investir dans cette relation depuis toutes ces années. Je vis dans ses affaires et je suis à sa disposition. Tout est toujours à propos de lui; quand *lui* a besoin de parler, de faire l'amour, d'être accompagné dans une soirée stressante, ou quand *il* a besoin de moi pour s'occuper à sa place de ses obligations familiales. Rien n'est jamais à propos de *moi*, de *mes* inquiétudes, de *mes* attentes et de *mes* besoins. Je me sens comme un fantôme, ou plutôt comme un bel objet pratique dont il peut se servir quand bon lui semble et le ranger quand il en a assez.

— C'est exactement ça, la question. Dans le fond, je vis dans ton condo, dans tes affaires, et c'est bien tant que je ne te dérange pas trop.

— Bon, ça y est, c'est la crise! me lance-t-il d'un ton paternaliste.

J'agrippe la table et la pousse à côté de la porte.

— Tu n'es pas obligée de t'en débarrasser ce soir!

— Tu ne veux pas faire d'espace pour ma table dans ton salon et tu ne veux pas faire d'espace pour moi dans ta vie, Philippe.

Je le regarde dans les yeux. Malgré le fait que je sente un étrange picotement me traverser la peau, je suis très calme.

— Je te quitte, Philippe.

— Pardon? Tu n'es pas sérieuse, qu'est-ce que tu vas faire sans moi?

Je ne prends pas la peine de répondre. J'entre dans la chambre à coucher, sors ma valise de voyage et une housse à vêtements. J'entasse dans ma valise tout ce qui me paraît le plus essentiel et empile mes tailleurs dans la housse. Philippe me suit pas à pas.

— Non mais, ça ne va pas? Tu es devenue folle? Je sais, c'est encore à cause de l'histoire du voyage? JE M'EXCUSE!

— De quel voyage tu parles, Philippe? Celui de surf ou celui à New York?

Je me rends à la salle de bain et jette mes nombreux produits dans un grand fourre-tout.

— Voyons, Sara, tu ne vas pas me quitter comme ça! Parlons-nous! Tu ne peux pas partir. J'ai besoin de toi, moi.

L'attitude de Philippe vient de changer. Des larmes coulent sur ses joues et il semble très vulnérable. Je ferme ma valise avec difficulté après y avoir inséré le fourre-tout. Je prends mes bagages et quitte la chambre à coucher.

— Je suis désolée, Philippe, mais je ne veux plus en parler. Ça fait des années que j'essaie de le faire.

C'est trop tard. J'ai toujours été là pour toi, mais c'est terminé. Je suis fatiguée d'attendre après toi. Tu ne t'investis pas dans notre relation, tu ne t'occupes jamais de moi, tu ne m'écoutes pas, tu ne fais pas attention à moi. C'est toujours moi qui donne. J'en ai assez ! Tu ne te forces même plus pour être gentil. Ça fait des mois que j'endure ça. Je ne veux plus d'une relation à sens unique.

— Tu as raison, Sara, ces derniers temps j'étais tellement occupé…

— Je ne suis plus capable de t'entendre dire que t'es trop occupé. Moi aussi, je suis occupée, mais je choisis de prendre du temps pour toi.

— Tu dois me donner une chance. Je peux changer.

— C'est trop tard. Je suis tannée d'avoir à supplier ou à menacer pour avoir ton attention.

— Quoi ! Tu pars ? Je ne te crois pas, tu m'aimes ! me dit-il en me prenant un bras.

— Je ne sais plus, Philippe… Je pense que je ne t'aime plus.

Mes paroles ont l'effet d'une bombe sur Philippe. Son attitude change encore une fois radicalement. Il parle de plus en plus fort. Il me suit vers la sortie jusque dans l'escalier alors que je descends ma table antique.

— C'est ça, va-t'en ! Tu vas le regretter et revenir en rampant. Tu seras chanceuse si je veux encore de toi. Et ne compte pas sur moi pour être fidèle entre-temps !

— Tu peux faire ce que tu veux, Philippe. Nous ne sommes plus un couple.

— Qu'est-ce que tu vas faire sans moi ? Tu n'es rien sans moi. Tu n'es même pas capable de te débrouiller toute seule.

— Tu sais bien que c'est faux, dis-je en remontant pour prendre mes bagages.

— Non, c'est vrai ! Tu ne sais… Tu n'es pas… Tu n'es même pas capable de sortir les poubelles !

3

Deux paons

Lundi 16 mai 2011
20 h 37

*J*e suis sur le trottoir au coin de la rue du condo de Philippe avec mes bagages et ma table. Je sors nerveusement mon téléphone de mon sac à main et compose le numéro d'Élise. À mon grand soulagement, elle répond à la première sonnerie. Je lui explique brièvement ma situation. Après une certaine incompréhension causée par son étonnement, elle m'annonce qu'elle vient immédiatement me chercher pour me ramener chez elle. Je réponds que ce n'est pas nécessaire, que je vais appeler un taxi pour aller la rejoindre. Une voiture arrive rapidement et le chauffeur m'aide avec mes bagages. Installée sur la banquette, je jette un regard à mon ancienne demeure et sens la tristesse me submerger. Je repense à la première fois où j'ai vu Philippe et à quel point cette rencontre avait été magique.

C'était dans une soirée de la veille du Nouvel An. J'étais sortie dans un bar à vin avec Marie et Élise pour fêter l'occasion. Cet endroit était de toute beauté ; il s'agissait du premier contrat de rénovation que Philippe avait réalisé à son compte. Dès mon entrée, je l'avais remarqué. Je le trouvais absolument sublime. Il était très grand. Plus grand que la majorité des hommes présents, qu'il semblait même dominer. Il était vêtu d'un complet noir et d'une chemise de la même couleur, sans cravate. Son col ouvert et ses cheveux rebelles lui donnaient une allure décontractée malgré sa tenue sévère.

Son regard avait croisé le mien et j'avais senti une décharge électrique traverser mon corps. Ses yeux étaient tellement verts et scintillants que j'avais l'impression qu'il pouvait voir en moi. Il avait tout fait pour me séduire – et l'avait fait à la perfection. Il ne savait pas, à ce moment, que tous ses efforts étaient bien inutiles puisqu'il m'avait déjà conquise avec son premier sourire. Il payait sans arrêt des tournées de champagne à ma table – pas seulement à moi, mais également à mes amies. Il est venu se présenter presque tout de suite, simplement, pour engager la conversation. Sa présence m'enivrait. Nous éclations de rire pour des riens. Il m'accordait toute son attention, comme si j'étais la seule personne sur la planète qui lui importait. Philippe m'impressionnait et j'étais flattée qu'il me porte autant d'intérêt. Il était gentil envers Marie et Élise, leur présentant ses amis. Même s'il connaissait quasiment tout le monde dans ce bar, il avait passé la soirée avec moi sans presque jamais détacher ses yeux des miens. Déjà, je le désirais passionnément. Je le voulais tout entier et exclusivement. Moi qui avais l'habitude de me moquer des grands bouleversements amoureux, je me sentais pour la première fois envahie par la sensation grisante et féerique d'avoir rencontré la bonne personne.

Au décompte de minuit, alors que tous s'échangeaient des vœux pour la nouvelle année et que les confettis se mêlaient à mes cheveux, il en avait profité pour me voler un baiser sur la bouche. Tel un enfant pris la main dans la jarre à biscuits, il m'avait alors dit : « Tu ne peux pas me le reprocher, c'est le jour de l'An ! » Il était loin de se douter qu'au contraire je lui reprochais mentalement de ne pas m'avoir embrassée plus longuement. Aux petites heures du matin, il m'avait raccompagnée jusqu'à l'appartement que je partageais à l'époque avec Marie et Élise.

Avant de me quitter, il m'avait demandé mon numéro en me disant qu'il m'appellerait dès qu'il se lèverait. Il a tenu sa parole. À 8 heures du matin, il laissait un message dans ma boîte vocale. Il ne laissait planer aucun doute sur ses intentions et ne sentait aucunement le besoin de la jouer *cool* en attendant un certain nombre de jours avant de me téléphoner.

J'ai vécu les mois suivants comme dans un rêve. Il me faisait la cour sans relâche, déployant une énergie monstre et ne ménageant aucune dépense. Il avait toujours une attention pour moi. Je recevais des fleurs plusieurs fois par semaine. Il suffisait que mon regard s'arrête un instant sur une paire de chaussures, un parfum ou une breloque pour que je les reçoive en surprise le jour suivant. Il m'invitait dans les endroits les plus spectaculaires de Montréal. C'était facile pour lui, il détenait tous les contacts. Il me laissait des mots d'amour un peu partout, sous mon oreiller, dans les poches de mon manteau, cachés entre les pages de mon Code civil. Nous faisions l'amour plusieurs fois par jour. C'était la première fois que j'éprouvais autant de plaisir avec un homme. Je n'étais jamais rassasiée. J'avais l'impression que ses mains avaient été faites pour mon corps.

Après plusieurs mois, il m'a demandé en grande pompe d'aller habiter chez lui. J'avais vingt-deux ans et j'étais follement amoureuse de lui. Je me réveillais tous les matins avec le sourire en pensant à lui. Je passais mes journées le cœur joyeux et serein. Je me sentais si légère et heureuse que presque rien ne pouvait me mettre en colère. Je voyais de l'humour et de la beauté dans tout. J'ai pleuré lorsqu'il m'a fait

sa demande. J'avais la conviction profonde, voire vis-
cérale, qu'il s'agissait de l'homme de ma vie. Il était
parfait. Trop parfait. J'aurais dû me douter que c'était
louche. Une fois que j'ai été bien installée chez lui,
notre relation a changé doucement. Les petites atten-
tions ont disparu ; plus de fleurs, plus de mots doux.
J'avais même de la difficulté à le joindre par téléphone
pour savoir s'il rentrait souper. Rétrospectivement, je
réalise qu'il aimait davantage la cour elle-même que
le sujet – moi. Il adorait penser qu'il était le meilleur
dans l'art de la séduction et se plaisait même à raconter
à n'importe quelle oreille attentive tous les gestes de
galanterie qu'il m'accordait. J'imagine que pour lui,
une fois que j'ai déménagé chez lui, son travail était
fait et le dossier était clos.

Ensuite, ses crises d'angoisse ont commencé. Les
premières années, j'étais sincèrement désolée et totalement dévouée lorsqu'elles se produisaient. Je lui
accordais toute mon attention et mettais sur-le-champ
mes activités et mes besoins de côté pour lui venir en
aide. Cela a eu comme effet de teinter notre dyna-
mique de couple et d'établir un principe suprême qui
est devenu avec le temps indélogeable : les problèmes
de Philippe étaient toujours plus importants que les
miens. Peu importe ce qui pouvait arriver, Philippe
avait toujours l'argument absolu : la crise d'angoisse.
J'ai fini par réaliser, un peu trop tard, que ces dernières
étaient à environ dix pour cent réelles et à quatre-
vingt-dix pour cent de la manipulation. La simple
expression de mes besoins le projetait dans une crise.
Il n'a jamais vraiment voulu résoudre le problème de
ses angoisses.

J'ai fait de nombreuses démarches à sa place. Je lui
ai acheté des livres sur le sujet qu'il n'a pas ouverts.
Je lui ai proposé d'essayer différentes options théra-
peutiques qui auraient pu l'aider (produits naturels,
yoga, homéopathie, séances de relaxation, acupunc-
ture…) ; il n'a rien voulu savoir. Je lui ai même trouvé

une psychologue formidable référée par ses propres amis, qu'il a refusé de consulter. Il était toujours très très occupé.

D'ailleurs, j'étais incapable d'organiser d'avance des activités avec lui les week-ends. Il était très froid et expéditif quand je tentais de le joindre au travail. Je passais la majorité de mes soirées seule, sans compter ses absences prolongées pour son contrat à New York. Plusieurs fois, il a poussé l'insulte jusqu'à ne pas m'avertir qu'il ne renterait pas souper alors que je l'attendais avec le repas préparé et servi. Lorsque je me plaignais de la situation, il m'expliquait que la pression au travail était énorme, qu'il était stressé et que j'étais égoïste de ne pas m'en rendre compte. Si j'avais le malheur d'insister ou de me fâcher, devinez quoi? Crise d'angoisse! C'est vrai qu'il travaillait fort. Mais il trouvait toujours du temps pour organiser des activités, les week-ends, avec SES amis: aller à Miami faire du yacht, louer un hélicoptère pour faire du ski dans les Rocheuses, organiser des mégafêtes dans de luxueuses maisons du Maine... Il sortait beaucoup le soir aussi. Un jour sur deux, il allait souper au restaurant après le travail et rentrait très tard. Il me disait que je ne comprenais rien, qu'il avait besoin de décompresser et que, non, cela ne l'empêchait pas d'être en forme et disponible pour moi – ce qui était évidemment faux.

Alors que je l'épaulais dans tout ce qu'il entreprenait et que j'étais entièrement à sa disposition, il ne m'accordait presque pas de temps. Pourtant, moi aussi je vivais des choses importantes. J'avais passé mon Barreau et j'étais devenue stagiaire dans un grand cabinet d'avocats. Ma situation était difficile; même le plancton, dans l'océan, est en meilleure position qu'une stagiaire dans un grand bureau... Je pouvais à peine discuter avec lui de mes problèmes. Il réglait la situation rapidement et catégoriquement: «Ce sont tous des cons et tu devrais changer de travail.» Fin de la discussion. Je n'ai réussi qu'une seule fois à le traîner dans l'une de mes très nombreuses activités de bureau. Il a ensuite prétexté pour les activités subséquentes que c'était d'un ennui mortel et qu'il ne voulait plus m'accompagner. Ce n'était pas comme pour ses activités à lui, auxquelles je devais participer, et qui étaient de son avis tellement plus plaisantes. Comme si je m'amusais follement à parler pendant des heures du comptoir en inox d'un restaurant ou à tenter de me faire des amis lors de l'ouverture d'un nouveau bar parce que Philippe avait une conversation très importante avec un contact influent.

J'ai appris à faire ma vie dans l'espace qu'il m'avait accordé. J'avais mes amis pour discuter de mes angoisses et des difficultés rencontrées au travail, qui n'ont pas cessé, même si j'avais survécu au stage et que j'étais devenue avocate. Même ses caresses devenaient de plus en plus rares. Nous ne faisions presque plus l'amour. Soit il rentrait trop tard, soit il était trop angoissé ou fatigué. Lorsque je me comparais à mes amis, j'étais étonnée de constater que c'était la plupart du temps les hommes qui se plaignaient du manque de libido de leur compagne. C'était tout le contraire dans mon couple. Philippe me disait souvent qu'il me trouvait belle et sexy, il faisait des commentaires à haute voix devant les autres sur ce qu'il avait envie de me faire, mais ses paroles étaient rarement suivies par des actions.

Évidemment, Philippe n'avait pas que des défauts. Il s'était toujours montré très généreux. Il payait systématiquement tout pour moi et avait insisté pour que j'habite avec lui dans son condo sans rien débourser. Lorsque je sortais avec lui, j'étais littéralement sa princesse. C'était un parfait gentleman; il en était d'ailleurs très fier. Lorsque nous faisions du *shopping*, il pouvait porter mon sac à main, mon manteau et mes nombreux sacs pendant des heures. Jamais il ne reluquait une autre femme. Il courait pour aller chercher la voiture afin que je n'aie pas à marcher ne fût-ce qu'un coin de rue avec mes souliers à talons hauts, même si je lui disais que c'était inutile. Je ferme les yeux en pensant à l'un de ses billets doux : « Merci d'être dans ma vie. » J'aurais tellement aimé qu'il m'écoute, qu'il s'intéresse à moi. Je me demande, complètement désemparée, où est parti tout mon amour, qui était si grand.

Lundi 16 mai 2011
21 h 20

— « Tu n'es même pas capable de sortir les poubelles » ? s'interroge Marie. C'est vraiment la dernière chose qu'il t'a dite ?

— Je pense que c'est tout ce qu'il a trouvé. Il essayait de me convaincre que je ne suis pas capable de me débrouiller sans lui. Sortir les ordures était sa tâche ménagère.

— C'est tellement ridicule, ajoute Élise.

Nous sommes toutes les trois assises dans le salon d'Élise, un verre de vin à la main. Marie est venue nous rejoindre, en apportant deux bouteilles de blanc, peu de temps après mon arrivée.

— Je ne peux pas croire que tu l'aies laissé, dit Marie.

— Je ne peux pas croire que je ne l'aie pas fait avant. C'était quoi, mon problème, d'endurer tout ça depuis aussi longtemps ?

— Ça s'appelle l'amour, répond Élise.

— Je pense vraiment que tu fais pour le mieux, Sara, tu as pris la bonne décision. Tu n'étais plus la même, ces derniers temps.

— Marie a raison. Et il l'a tellement cherché. Tu t'es donnée corps et âme dans cette relation pour recevoir des miettes en retour, renchérit Élise.

— Il ne te mérite pas !

— Et toi, tu mérites vraiment mieux !

— Je lui ai même dit que je ne l'aimais plus. Pouvez-vous croire ? Lorsque je me suis entendue prononcer ces paroles, je me suis demandé si c'était vrai.

— Et puis ? me questionne Marie.

— La vérité, c'est que je ne ressens plus rien, à part de l'épuisement. Ces derniers mois, j'ai senti mon amour pour lui s'effriter tous les jours. Il ne reste plus que du vide. Moi qui l'aimais comme une folle… Peut-être que je me trompe. Je n'ai pas envie d'y penser. Pour l'instant, je dois me trouver un appart. Je ne peux quand même pas vivre dans la table de ma grand-mère…

— Rien ne presse. Je te conseille de bien le magasiner. C'est un choix important. Tu devrais même regarder pour t'acheter un condo. Prends tout ton temps. Ma chambre d'amis est pour toi.

— Moi aussi, j'ai une chambre d'amis ! s'exclame Marie.

— Les affaires de Sara sont déjà ici.

— Une valise, une housse de vêtements, une table Louis XVI, rien de bien difficile à déménager.

— Sara, chez qui préfères-tu habiter ? me demande Élise afin que je tranche.

— Ça m'est égal. Je vous adore toutes les deux. Je suis trop chanceuse de vous avoir.

Élise affiche un air grave et s'approche de Marie.

— Je sais comment régler ça, annonce Élise en levant la main. Roche, papier, ciseaux !

— Non ! Je perds toujours ! proteste Marie.

— Tu as une meilleure idée ?

— Pas vraiment, dit Marie à contrecœur en cachant sa main droite derrière son dos.

Élise remporte le jeu. Marie fait la moue alors qu'Élise se lève pour faire une danse de la victoire.

— Super ! Sara, tu vas vivre avec moi ! Ça va être comme dans le bon vieux temps. Je veux que tu te sentes comme chez toi. Je vais te donner une clé, me dit-elle en sortant un trousseau.

— Merci, Élise.

— Je veux vraiment que tu sois à l'aise. Et tu peux rester le temps que tu veux : quelques semaines, quelques mois, quelques années !

— Tu es trop gentille.

— En plus, tu vas avoir le condo pour toi toute seule pendant deux semaines. Marie et moi partons samedi prochain pour la Côte d'Azur.

À ces paroles, j'éclate en sanglots.

Mardi 17 mai 2011
8 h 15

Je suis assise devant mon ordinateur et fais semblant de lire un quelconque document juridique. La journée s'annonce difficile ; je suis dans un piteux état. Je n'ai pas bien dormi et me suis réveillée désorientée, dans la chambre d'amis d'Élise. J'ai le cœur lourd comme de la brique. Je n'ai aucune énergie et manque d'enthousiasme pour tout. Je me demande ce que fait Philippe. Même si c'est moi qui suis partie, la tristesse m'est insupportable. Je ne sais pas pourquoi je suis venue au bureau ce matin. Je suis incapable de penser à autre chose que ma rupture. J'ai de la difficulté à accepter que la vie que je m'étais imaginée avec Philippe ne se concrétisera jamais. J'entends des collègues rire, un peu plus loin dans le corridor. Je me sens isolée dans mon chagrin. J'ai l'impression d'avoir perdu tous mes repères. Je vais devoir rebâtir toutes mes habitudes.

Mardi 17 mai 2011
17 h 08

Je suis heureuse que la journée soit terminée. J'ai préféré rester au travail dans l'espoir de me changer les idées, mais ce fut inutile. J'ai fini par me terrer dans mon bureau. J'ai choisi de travailler sur les mandats faisant le moins possible appel à l'intelligence. Un gros merci à Me Lambert, pour cette fois. Je me dirige nonchalamment à mon cours d'anglais. Je regarde l'heure. Je suis beaucoup trop en avance, mais ça m'importe peu. La porte du local est ouverte et je prends place dans la salle déserte. Rod traverse le corridor et me surprend seule à contempler le vide. Il entre dans la classe et se dirige vers mon bureau.

— Sara ? *What are you doing here ?* Le cours ne débute que dans quarante-cinq minutes.

— Je sais.

— *Are you okay ?* Tu sembles bizarre.

— Je me sens bizarre aussi. Ne vous inquiétez pas, ça va aller.

— *Are you sure ?*

— Oui, oui. C'est juste que j'ai laissé mon copain hier.

— *I see.* Ce n'est pas facile, me répond-il en s'assoyant au bureau d'à côté.

— Ce n'est pas juste ça. C'est toute ma vie qui semble être mal enlignée.

— Que veux-tu dire ?

— Je pensais que ma vie prenait un sens. Je vivais une relation sérieuse avec Philippe et j'avais un bon emploi dans un grand bureau…

— *Did you quit your job too ?*

— Non, je n'ai pas démissionné. Mais ça ne va pas comme je veux. Je ne réussis pas du tout à atteindre les objectifs que je m'étais fixés. J'ai l'impression d'être enlisée. Même si je travaille très fort, je suis incapable de me démarquer. Je me laisse marcher dessus…

— *Why don't you do something about it ?*

— C'est ça, le problème. Je ne sais pas quoi faire et j'ai peur de me tromper, de faire des erreurs. Je me demande même si j'ai bien fait de laisser Philippe.

— Je ne connais rien à propos de ta relation avec ce Philippe, mais je suis certain que si tu l'as laissé, c'est que tu avais de très bonnes raisons de le faire. Pour ton travail, tu dois croire en tes capacités. Tu ne devrais pas avoir peur de foncer.

— Je ne sais pas. Il me reste encore beaucoup de choses à apprendre. D'un autre côté, je ne supporte plus de m'entendre me plaindre constamment. Je me tape moi-même sur les nerfs!

— *Then, what are you waiting for?* Ton anglais est très bon, *you are my best student.* Tu ne devrais pas attendre d'être absolument parfaite pour réaliser tes rêves; sinon ça n'arrivera jamais. *What are you so afraid of?* Tu es jeune, tu débordes de talent, tu es brillante *and so beautiful.* Que peut-il arriver de si terrible? C'est si grave, de faire une faute d'orthographe? D'avoir à changer de travail? De ne pas payer son loyer à temps pour une fois? Ce n'est pas comme si tu allais te retrouver dans la rue sans éducation et avec des enfants. Tu pourras toujours te trouver un nouvel emploi, un autre appartement, un autre amoureux… *What are you waiting for?* Tu as peur de prendre la mauvaise décision? Mais si tu veux avoir le contrôle sur ta vie, il va falloir que tu commences à faire des choix. Maintenant, tu vas quitter cette classe pour ne jamais revenir. Fais-toi un plan d'action et fonce!

— Merci, Rod.

Je lui serre la main et me dirige vers la sortie.

— *Good luck, Sara!*

Les paroles de Rod ont eu l'effet de me réanimer. J'ai l'impression de retrouver mon énergie. Je regarde l'heure sur mon téléphone. Ça fait longtemps que je n'ai pas terminé aussi tôt un mardi. J'appelle les filles.

Mardi 17 mai 2011
20 h 22

Nous rions et parlons bruyamment autour de la table de cuisine d'Élise. Les effets du vin commencent à se faire sentir. Marie dessert la table et revient avec un plateau de mignardises achetées à la boulangerie du coin. Élise frappe dans ses mains.

— Mignardises et vin rouge, c'est le paradis !

— Les filles, dis-je en levant mon verre, j'ai pris une grande décision !

Élise et Marie me regardent, intriguées.

— À partir de maintenant, j'ai décidé de ne plus avoir peur !

— Peur de quoi ? s'enquièrent-elles en même temps.

— Peur de foncer, de prendre des risques, d'être seule, de me tromper, de vieillir, de gâcher ma vie, d'être jugée… Je peux continuer longtemps.

— De quoi tu parles ? Tu n'es pas une fille qui a peur, dans la vie. Tu es une avocate redoutable, tu n'hésites pas à défendre tes opinions et tu n'es vraiment pas timide… En tout cas, pas mal moins que moi, affirme Élise.

— Je parle d'une peur plus profonde, plus occulte et subreptice. Je réfléchis à ça depuis plusieurs jours, et pas seulement parce que j'ai bu quelques verres de vin, dis-je en rigolant. D'après vous, pourquoi les femmes réussissent-elles encore moins bien que les hommes sur le marché du travail malgré le fait qu'elles soient maintenant plus scolarisées qu'eux ?

— Parce que la quantité de travail exigée des personnes qui détiennent des postes clés est inconciliable avec la famille ? avance Marie.

— Parce que certains stéréotypes nuisibles envers les femmes perdurent encore ? ajoute Élise.

— Parce que certaines têtes dirigeantes sont encore des hommes à la mentalité misogyne digne des années 1920 ? renchérit Marie en s'emballant un peu.

— Oui, oui, ça va, les filles. Pas besoin de vous emporter, dis-je en riant. Je crois qu'il y a aussi quelque chose dans la manière dont nous sommes socialisées dès l'enfance.

— Les filles sont pourtant encouragées à se bâtir des carrières, de nos jours, mentionne Élise.

— Je suis d'accord. Mais les filles sont élevées dans une atmosphère de peur et de crainte davantage que les garçons. Je m'explique. On encourage plus les garçons à prendre des risques, et leur tempérament frondeur ou téméraire est valorisé. Alors que pour les filles, c'est tout le contraire. On valorise chez elles des qualités opposées comme la prudence, la délicatesse et la gentillesse. Toute son enfance, une petite fille va se faire dire d'être douce, d'être polie, de ne pas répondre, d'écouter, de travailler fort à l'école, de ne pas être vulgaire, bla bla bla… Pensez juste aux contes de fées, les femmes y sont dépeintes comme gentilles, travaillantes et même dociles.

— Les filles plus extraverties sont même des méchantes ! Comme les demi-sœurs de Cendrillon ! lance Marie.

— Tu as raison, Sara, on se fait juger différemment selon notre sexe. Un homme qui hausse le ton lors de négociations passera pour un « combattant », alors qu'une femme risque plus de passer pour une hystérique, ajoute Élise.

— C'est vrai, ça ! Revenons à ma théorie. Je pense que la grande différence, par rapport aux garçons, c'est que les petites filles se font constamment dire de faire attention et de se méfier des nombreux dangers. C'est toujours plus dangereux pour une fille, et les conséquences seront toujours plus grandes.

— Ce n'est pas tout à fait faux…, dit Marie.

— Écoute, je ne suis pas en train de dire que c'est à tort ou à raison. Mon intention n'est certainement pas de faire le procès des parents, encore moins des miens. Mais une chose est certaine, on nous élève avec une bonne dose de peur. On va nous avertir de faire attention aux étrangers, aux hommes et à la société en général. On nous raconte toutes sortes d'histoires d'horreur comme des kidnappings, des agressions sexuelles et des meurtres. Mais le plus épeurant, c'est certainement le bon vieux classique : « Qu'est-ce qui va t'arriver si tu te retrouves avec des enfants sans carrière et sans mari ? Ta vie sera gâchée ! »

— Ha ha ha ! s'exclame Marie. Plus épeurant que de se faire attaquer par un maniaque sexuel ?

— Bien, c'est celui qui m'a le plus accrochée en tout cas… Donc, pour ne pas finir comme dans le scénario catastrophe annoncé par nos aînés, on travaille très fort à l'école pour avoir une carrière avant d'avoir des enfants.

— C'est une bonne chose, non ? demande Élise.

— Bien sûr ! Sauf que la peur comme motivation vient avec son lot d'effets secondaires. On a la « chienne », alors on travaille fort pour avoir de bonnes notes, une bonne *job* et être autonomes. Jusqu'ici, tout va bien. Le problème est qu'on apprend à vivre avec toutes ces peurs qui finissent par faire partie de nous, par modeler notre caractère et imprégner nos choix. On devient plus craintives et on a moins tendance à prendre des risques et à sortir du chemin ordinaire études – profession – travail stable. Bon, j'exagère un peu. Ce n'est pas vrai pour tout le monde. On s'entend que Marie n'a pas choisi le métier le plus traditionnel et le plus stable.

— Peut-être, mais mes parents ont espéré que je laisse tomber cette idée folle pour devenir comptable ou infirmière jusqu'à tout récemment. Jusqu'à ce que je gagne un prix Gémeaux, en fait.

— Et les garçons, c'est quoi leur motivation ? s'interroge Élise.

— S'ils réussissent bien leur carrière, ils seront respectés, auront du succès auprès des femmes et pourront s'acheter la voiture de leurs rêves… Ce n'est pas aussi efficace que la peur, mais beaucoup plus sain. Revenons à nous, les filles. On arrive sur le marché du travail avec cette peur inculquée en nous. Ainsi, on va travailler fort, mais trop souvent discrètement, et on est malheureusement pas aussi bien outillées que les hommes pour foncer et prendre des risques. Lorsque je regarde autour de moi, je me rends compte que ceux qui détiennent le pouvoir ont souvent pris des risques. Les clients de mon cabinet sont pour la plupart des hommes très riches, des entrepreneurs qui ont misé le tout pour le tout dans leur compagnie. Mes parents ne m'auraient jamais encouragée à fonder mon entreprise – beaucoup trop risqué, c'est un monde dur, que va-t-il t'arriver si tu fais faillite? C'est mieux de choisir une *job* plus «sûre» et «stable». Toujours dans mon cabinet, j'ai remarqué qu'à plus petite échelle les hommes ont plus d'aisance à prendre des dossiers hasardeux qui deviennent souvent plus payants. Ils ont plus de facilité à faire preuve d'audace, à se vanter de leurs bons coups et à attaquer une personne en public pour défendre leurs intérêts. Moi, j'ai peur de prendre des risques, je ne veux pas perdre mes acquis. J'ai peur de me vanter, ce n'est pas poli. J'ai peur d'attaquer les autres – même quand c'est très fortement mérité –, ce n'est pas très gentil. Je suis trop fine, je marche trop sur le droit chemin. Malheureusement, ce chemin-là ne se rend pas au sommet, il ne fait que le tour de la montagne.

— Tu es le Petit Chaperon rouge! lance Marie en riant.

— Quoi?

— Mais oui, tu as peur de sortir du sentier!

— C'est sûr! Le Petit Chaperon rouge, il se fait manger, dans cette histoire! ajoute Élise en pouffant de rire.

— C'est ça! J'ai peur du loup! dis-je en m'esclaffant.

Je me lève et prends un air solennel.

— Eh bien, à partir de maintenant, je n'aurai plus peur du loup. Non, mesdames! Je vais mettre de côté toutes mes insécurités et incertitudes afin de foncer. C'est décidé, je vais arrêter de me retrancher dans la contemplation et je vais passer à l'action! Je vais enfin faire des gestes concrets!

— Bravo !

— Oui, bravo ! Quels gestes ? s'enquiert Élise avec grand intérêt.

— Je n'en ai aucune idée, dis-je en me rassoyant et en appuyant mon front sur la table.

Jeudi 19 mai 2011
17 h 50

Je termine de dicter un mémo dans un dossier. J'ai passé les deux derniers jours à la cour, ce qui ne m'a pas donné beaucoup de temps pour établir mon plan d'action. Je prends un crayon et griffonne dans un cahier quelques notes en ce sens. L'inspiration ne me vient pas. Je fais maintenant des petits dessins. Mon thème préféré : Me Lambert se faisant dévorer par une plante carnivore. Certes, ce n'est pas constructif, mais cela a le mérite de m'amuser.

— Sara ? m'interpelle Marc-Olivier du seuil de la porte.

— Oui ? réponds-je avec de l'irritation dans la voix en cachant mon dessin.

— Il fait très beau dehors, et nous sommes jeudi.

— Ouiiii ? dis-je cette fois avec de l'inquiétude dans la voix.

— Je me disais que ce serait une soirée parfaite pour profiter des 5 à 7. On pourrait aller prendre un verre, tous les deux… Histoire de tisser des liens… Qu'en penses-tu ? me demande-t-il sur un ton doucereux très alarmant.

— Ça tombe vraiment mal, j'ai déjà quelque chose…, réponds-je sans m'efforcer de rendre mon excuse crédible.

— Dommage. On se reprend alors ! lance-t-il en me décochant un clin d'œil avant de quitter le bureau.

On ne pourra jamais dire qu'il manque de cran, celui-là. Non seulement il me vole mes mandats en inventant des histoires à mon sujet, mais il se hasarde à m'inviter à prendre un verre. Non, merci! En plus de le trouver dénué de charme, je connais trop bien sa routine. Avec lui, ce n'est que du tape-à-l'œil, beaucoup de paroles et très peu d'actions. Par contre, il me fait réfléchir. C'est vrai qu'il s'agit d'une très belle journée de printemps, et je suis dorénavant célibataire. Je décroche le téléphone.

Jeudi 19 mai 2011
18 h 43

Je suis assise sur une terrasse très achalandée d'un resto-bar du Vieux-Montréal, *Le Petit Roi*, et je sirote un cocktail sucré en profitant de la brise. Marie observe avec étonnement la foule qui nous entoure.

— C'est vraiment le royaume du complet-cravate! constate-t-elle.

— Bien sûr, nous sommes au centre-ville. Les 5 à 7 sont envahis par les avocats, banquiers, hommes d'affaires, comptables et courtiers de tout genre.

J'ai réussi à convaincre Marie de venir me rejoindre pour profiter des terrasses. Élise, pour sa part, ne pouvait se libérer. Je balaie du regard la clientèle de l'établissement, qui est presque entièrement masculine.

— On devrait commander à manger. Je commence à sentir un peu trop les effets du cocktail; je trouve que tous les hommes du bar sont sexy, avoué-je à Marie.

— Ce n'est pas l'alcool, ils sont vraiment *hot*! me confirme mon amie. On est tombées sur une bonne « cuvée »!

— On prend un autre verre alors? lui proposé-je en souriant.

Jeudi 19 mai 2011
22 h 14

Marie et moi venons de quitter la terrasse après avoir eu des discussions dont la qualité variait d'intéressante à nulle avec Robert, Patrice, Rodriguo, Stéphane et Simon. Nous nous sommes bien amusées au *Petit Roi*. J'y serais restée plus longtemps, mais je travaille demain. Il fait nuit. Nous marchons bras dessus bras dessous en nous remémorant les moments cocasses de la soirée. Nous passons devant un immeuble austère devant lequel sont juchés deux paons de bois sur une butte gazonnée.

— Quel drôle d'édifice, me fait remarquer Marie. On se croirait dans un décor de film d'épouvante.

— C'est le club privé de Me Lambert, le *Peacock Club*. Tu vois, les deux paons, ce sont leurs mascottes.

— Des mascottes ?

— Il s'agit d'un club très sélect, ouvert aux hommes seulement.

— Je croyais que ça n'existait plus.

— Détrompe-toi, Me Lambert ne jure que par son club et en vante constamment les mérites. Il en est assommant.

— Qu'est-ce qu'ils peuvent bien faire de si intéressant dans ce club ?

— Je ne sais pas. Ils fument de gros cigares, parlent d'affaires et sacrifient des vierges ! réponds-je à la blague.

— Bon, partons, dit Marie en tirant sur mon bras.

— Non, attends. J'ai une idée, dis-je avec trop d'enthousiasme, étant un peu soûle.

— Quoi ? m'interroge Marie.

— Je vais aller placer les paons dans une position indécente.

— Tu es folle ! C'est une mauvaise idée, quelqu'un va nous voir.

— Non, ça va marquer le début de mon plan d'action ! Et la rue est déserte.

— Tu ne seras jamais capable.

— Mais oui, ils sont en bois.

— Tu es en jupe et en talons hauts!

— Ce ne sera pas long, dis-je en me dirigeant vers les paons.

— Je viens t'aider alors! lance Marie avec énervement en marchant sur la pointe des pieds.

Nous agrippons et soulevons avec difficulté l'un des paons. Marie est également en talons hauts et porte une robe ajustée; rien pour faciliter l'entreprise. Le paon est plus lourd que je le croyais. Nous avançons péniblement en riant comme des gamines. Nous faisons pivoter le paon près de l'autre. Une chaîne de métal attachée sous le paon se soulève, se tend et me touche une cuisse. Je n'avais pas remarqué qu'ils étaient enchaînés, et le contact du métal froid sur ma peau me surprend. Je pousse un cri, nous échappons le paon, qui tombe dans la position désirée, et nous éclatons de rire.

— Mesdames!

Je lève la tête et constate avec désenchantement qu'un policier nous interpelle à partir de sa voiture de patrouille.

Jeudi 19 mai 2011
22 h 21

Les agents Lavigne et Castonguay nous sermonnent vertement après avoir réclamé nos cartes d'identité. Ils sont très sérieux, malgré leur jeune âge – début trentaine tout au plus.

— Très bien, annonce l'agent Lavigne, je vais remplir le constat d'infraction.

Sur ces mots, il se dirige vers la voiture pour y saisir un calepin. L'agent Castonguay dévisage Marie.

— Nous nous sommes déjà rencontrés? lui demande-t-il. Vous me dites vraiment quelque chose.

— Non, non, répond Marie en me lançant un regard oblique.

Depuis plusieurs années, Marie détient un rôle récurrent dans une série télévisée familiale. Je la sens nerveuse. Elle n'a vraiment pas besoin de ça comme publicité. L'agent Lavigne est de retour. Il se plante devant nous. Il est de toute évidence le moins commode des deux policiers.

— Si vous émettez le constat, est-ce que cela implique que les gens du *Peacock Club* vont en être informés? demandé-je avec appréhension.

— Oui, madame.

— S'il vous plaît, monsieur l'agent, il n'y a pas une autre solution? supplié-je. C'était idiot de notre part. Nous sommes vraiment désolées…

— Il fallait y penser avant, madame.

— C'est juste que je risque de perdre mon emploi. C'est un peu sévère comme conséquence, non?

— Vous travaillez au *Peacock Club*?

— Non, je travaille dans un bureau du centre-ville, réponds-je en omettant volontairement de mentionner qu'il s'agit d'un cabinet d'avocats, sachant que ma profession ne jouit pas d'une très bonne cote de popularité.

— Il n'y a pas de problème alors, les gens de votre bureau ne seront pas mis au courant.

— C'est que mon patron est membre du *Peacock Club*…

L'agent Lavigne me regarde en levant un sourcil, mais ne bronche pas.

— C'est un méfait, que vous avez commis.

— Dans ce cas, monsieur l'agent, il s'agit de ma malheureuse initiative. Pouvez-vous émettre un constat seulement pour moi et laisser partir mon amie?

— Non, non, j'ai participé aussi. Je reste solidaire, dit courageusement Marie.

— Vous me dites vraiment quelque chose, relance l'agent Castonguay.

— Vous travaillez également dans un bureau du centre-ville? s'enquiert l'agent Lavigne.

— Non… Je suis comédienne, répond timidement Marie en espérant toutefois que son métier ait un impact positif sur les policiers.

— Oui, c'est ça ! À la télévision ! Ma mère adore votre émission ! C'est une vraie fan ! s'exclame l'agent Castonguay d'un ton ravi.

J'évalue la situation. L'agent Castonguay semble être impressionné par Marie ; je pense que nous pourrions facilement le convaincre de nous laisser filer. Par contre, l'agent Lavigne est toujours de glace.

— Messieurs, dis-je en risquant le tout pour le tout, pourquoi ne pas régler notre différend autrement ? On pourrait vous inviter…

— Bon, ça y est, coupe l'agent Lavigne. Vous pensez que vous pouvez échapper à la loi parce que vous êtes des belles filles. Comme si on n'avait rien d'autre à faire que d'être intéressés par des délinquantes.

Le coup est difficile à encaisser.

— Et quand on vous laisse notre numéro de téléphone, vous ne nous rappelez jamais, ajoute maladroitement l'agent Castonguay.

La réplique de l'agent Castonguay me donne du courage, alors je persiste. J'ai plaidé pire, après tout…

— Il ne s'agit pas de séduction, mais de déterminer ce qui serait dans l'intérêt de tous les acteurs, vous, les policiers, Marie, moi et la société en général, lancé-je en sachant que mon argumentation est tirée par les cheveux. Dites-moi, à quelle heure finissez-vous de travailler ?

— On aurait dû terminer il y a dix minutes. On se dirigeait vers le poste quand on vous a vues, s'empresse de répondre l'agent Castonguay.

— Fantastique ! Je ne crois pas qu'il soit dans l'intérêt de la société que deux jeunes femmes – qui paient assidûment leurs impôts – se retrouvent sans emploi pour un petit méfait. Pour notre part, vous pouvez me croire sur parole, nos carrières de criminelles se terminent ce soir. On a eu notre leçon, et plus jamais on ne recommencera. PROMIS !

Marie acquiesce par de grands signes de tête. L'agent Castonguay écoute avec intérêt mon argumentation, alors que l'agent Lavigne demeure inébranlable. Je poursuis tout de même ma plaidoirie.

— Je vous propose humblement ceci : afin de vous dédommager pour tous les inconvénients, on vous paie un verre. C'est seulement pour qu'on puisse se racheter de vous avoir fait perdre votre temps. Vous avez déjà nos permis de conduire, conservez-les et donnons-nous rendez-vous dans un bar de votre choix. Dans une demi-heure environ ?

— Vous vous êtes introduites sur une propriété privée afin de commettre un méfait, répond froidement l'agent Lavigne.

— D'accord, ce n'était pas brillant. Par contre, les paons sont intacts. Ce n'est pas comme si on les avait endommagés ou vandalisés. On les a juste placés dans une position indécente.

Je pointe les paons. Ils sont toujours dans une position suggestive. Je croise le regard de Marie et, malgré l'effort, nous ne pouvons retenir notre fou rire. À mon grand soulagement, l'agent Lavigne éclate de rire à son tour.

Vendredi 20 mai 2011
00 h 33

Samuel Lavigne et Éric Castonguay nous ont donné rendez-vous dans une taverne de Saint-Henri bondée de policiers ayant terminé leur service. Ainsi, Marie et moi en sommes à payer des tournées de pichets de bière plutôt qu'à offrir seulement un verre à nos deux policiers. Néanmoins, nous nous amusons beaucoup. Les policiers présents sont très sympathiques, enjoués et agréables. Samuel Lavigne est, contre toute attente, le plus attentionné de tous. Les pichets sont vides, je me lève pour en commander d'autres. Du bar, je peux observer Marie, qui laisse échappe de grands rires en tapant sur la table; elle adore être entourée d'hommes et se faire courtiser par plusieurs à la fois. Ce soir, elle est servie. Alors que j'attends que le barman prépare ma commande, je sens une main sur mon épaule.

— Sara? Je n'aurais jamais pensé te voir ici! s'exclame Vincent Langelier.

— Vincent! Je peux dire la même chose de toi. Tu viens souvent ici? réponds-je, ébranlée de le croiser dans un tel moment.

— Tous les jeudis, après ma partie de hockey! Je joue dans une ligue avec des avocats du bureau…

Les policiers se font turbulents. L'un d'eux crie: « Sara! Qu'est-ce qui arrive avec la bière? »

— Tu fréquentes des policiers?

— Oui… Depuis ce soir en fait. C'est une longue histoire, balbutié-je alors qu'un autre policier prend l'initiative de scander mon nom.

— Tu leur paies la bière?

— Oui, c'est une sorte de dette…

Vincent me regarde avec curiosité.

— C'est que je me suis fait arrêter, un peu plus tôt en soirée. C'est-à-dire que les policiers m'ont arrêtée sur le trottoir, mais ils ne m'ont pas emmenée au poste ou jetée en prison, quand même…

Je lis l'incompréhension et l'étonnement sur le visage de Vincent. Je me rends compte que mon explication ne fait aucun sens.

— Tu te rappelles notre conversation, dans le taxi, lundi dernier?

— Oui…, répond Vincent, ne sachant où je veux en venir.

— Tu sais, je t'ai dit que j'avais envie de faire quelque chose de stupide?

— Oui, je me rappelle.

— Eh bien, on peut dire que c'est fait. Mais ne t'inquiète pas, ça finit quand même bien.

Le serveur me tend les pichets de bière. Il est évident que Vincent aimerait avoir des explications supplémentaires, mais la plupart des policiers scandent à présent mon nom. Je quitte Vincent en lui adressant mon plus beau sourire et en haussant les épaules.

Vendredi 20 mai 2011
2 h 48

Je demande au barman qu'il imprime l'addition pour les pichets de bière, afin que je puisse la régler. Je suis épuisée. Marie discute encore passionnément avec les quelques policiers qui restent. Samuel se dirige vers moi alors que le barman me remet la facture.

— C'est bon, Sara, je vais la prendre. Tu n'as pas à nous payer la bière.

— Mais non, ça me fait plaisir. J'ai vraiment passé une belle soirée.

— J'insiste, Sara.

— C'est trop tard, dis-je en donnant ma carte de crédit au barman. Ne t'inquiète pas, Samuel, je ne risque pas de me ruiner avec des pichets à 5 dollars.

— Bon d'accord, finit-il par répondre. Dis-moi, le gars à qui tu parlais tantôt, c'est ton amoureux?

— Non, réponds-je en me soulignant mentalement que non seulement il a remarqué ma conversation avec Vincent, mais il s'en souvient. Ce n'est qu'un confrère contre qui j'ai déjà plaidé.

— Tu es avocate! Tu t'es bien gardée de me le dire plus tôt.

— Tu aurais probablement émis le constat.

— On n'a jamais eu l'intention de le faire. Ce n'était vraiment pas assez grave.

— Non?

— C'est la routine habituelle. L'idée, c'est d'ébranler suffisamment tout premier contrevenant pour le dissuader de recommencer, répond-il sur un ton taquin.

— Je me sens ridicule.

— D'avoir fait ça ou d'avoir eu à passer la soirée avec nous?

— D'avoir eu à me faire sermonner comme une enfant.

— Ce n'est rien, Sara. J'ai déjà fait bien pire. Bon, il faut dire que je n'avais que quinze ans à l'époque…

— En quoi est-ce supposé me réconforter? dis-je en lui frappant le bras, alors qu'il me lance un sourire moqueur.

— Est-ce qu'il y a un amoureux dans ta vie, Sara? me demande Samuel après avoir pris une pause.

— Non. En fait, je l'ai quitté au début de la semaine.

— Je vois. Est-ce qu'il est membre du *Peacock Club*?

— Non, réponds-je en riant.

— Voici ma carte, j'ai inscrit mon numéro de cellulaire au dos.

— Tu fais une exception, cette fois, pour les délinquantes?

— Elles ont toujours été mes préférées.

Alors que Samuel me tend sa carte, je suis soudain frappée par sa grande beauté; par le grain très fin de sa peau hâlée, par ses cheveux de jais, par ses grands yeux bruns étincelants et ornés de longs cils, par ses lèvres charnues et foncées, par sa carrure solide, par sa musculature saillante, par ses mains fortes et par les traits réguliers et doux de son visage. Un désir puissant naît en moi, et j'ai très envie de l'inviter chez moi cette nuit. Je me rappelle alors que je n'ai plus de chez-moi, que je viens de me séparer et que je ne suis pas prête à partager mon intimité. Je prends sa carte et lui fais la bise. Il sent si bon. Je dois me concentrer pour ne pas laisser glisser ma main sur son cou, dans ses cheveux et l'embrasser. Je réussis à m'éloigner en me mordant les lèvres et je vais chercher Marie.

Vendredi 20 mai 2011
9 h 51

J'ai très mal à la tête et je bois un cola diète assise dans mon bureau. Je crois que c'est la première fois que j'arrive au travail aussi tard. Je me suis levée en sursaut à 8 h 35 au son du timbre de mon téléphone m'avertissant que j'avais reçu un courriel. Élise avait évidemment déjà quitté l'appartement. J'ai vérifié mon horaire en panique pour constater avec soulagement que je n'avais rien d'urgent dans la journée. J'ai alors pu prendre une longue douche pour tenter de me remettre les idées en place. Malgré mon état lamentable, je souris en repensant à ma soirée de la veille.

Le préposé qui distribue le courrier passe devant mon bureau avec son chariot. Il me demande si je veux prendre mon courrier immédiatement ou si je préfère qu'il le remette à mon adjointe. Je me lève pour prendre les documents et tombe sur le magazine *Le Chantier*. Il s'agit d'une publication ciblant l'industrie de la construction et traitant de divers sujets s'y rapportant. Je la feuillette. On y trouve la liste des grands chantiers de construction du Québec, des articles de fond sur les enjeux du domaine, des témoignages d'entrepreneurs et beaucoup de publicités de machinerie lourde, de firmes d'ingénieurs et de voitures de luxe. Je m'arrête sur un article traitant du changement de zonage dans certaines régions du Québec. L'article me fait penser à un jugement récent concernant le même sujet. Il me vient alors une idée. Je déniche facilement le jugement en question et me mets à rédiger. Lorsque j'ai terminé, je compose avec hésitation le numéro de téléphone inscrit au dos du magazine. *Allez, Sara, fonce! Au pire, on te dira non.*

À mon grand étonnement, j'obtiens facilement le rédacteur en chef, qui est très sympathique. Je lui propose de lui fournir mensuellement et gratuitement une chronique en droit de la construction. En échange, il n'a qu'à la publier avec mon nom, le nom de mon cabinet et les coordonnées pour me joindre. Il me répond qu'ajouter dans son magazine un volet juridique l'intéresse et me demande de lui transmettre par courriel un exemple d'article, ce que je fais immédiatement. Il me rappelle un peu plus tard pour m'annoncer que mon article fera partie de la parution du mois prochain et qu'il lui fera grand plaisir de publier ma chronique chaque mois. Je me félicite de mon initiative. Je ne peux pas croire que ç'ait été si facile! Bravo pour ma *vraie* première démarche découlant de mes nouvelles résolutions! *Le Chantier* est distribué à tous les acteurs de l'industrie de la construction. Chaque mois, des clients potentiels pourront lire mes chroniques d'informations, d'astuces et de nouvelles juridiques, en y voyant mon nom et mes coordonnées. En outre, ce n'est pas une tâche désagréable, puisque j'adore donner des explications juridiques et vulgariser les principes de droit. Je me croise les doigts en espérant que cela portera ses fruits.

Vendredi 20 mai 2011
18 h 40

Je viens d'arriver au condo d'Élise. Je l'aperçois qui lit sur sa véranda et vais la rejoindre.

— Sara! dit-elle en m'apercevant. Je t'attendais! Que veux-tu faire pour le souper?

— Et si on se faisait livrer quelque chose? dis-je en m'assoyant lourdement sur la chaise à côté d'elle.

— Comme tu veux! Marie m'a raconté vos aventures d'hier…

— Ce n'était pas très brillant de ma part. Disons que j'ai appris ma leçon.

— Moi, je trouve ça plutôt divertissant!

— Me faire arrêter par la police, ce n'est pas ce que j'envisageais comme geste concret afin de foncer dans la vie…

— As-tu eu le temps de penser à ce que tu voulais faire ?

— Eh bien, aujourd'hui, j'ai décidé d'écrire un article chaque mois dans un magazine destiné à l'industrie de la construction pour faire connaître mon nom et attirer des clients. C'est un début.

— Beaucoup mieux que de mettre des autruches dans des positions cochonnes.

— Des paons, c'étaient des paons.

Élise secoue la tête en riant pendant que je poursuis.

— J'ai beaucoup réfléchi et je pense qu'il s'agit tout simplement d'un changement d'attitude. Je dois sauter sur les occasions lorsqu'elles se présentent au lieu de me poser un milliard de questions, de déblatérer des heures sur le sujet et de finir par ne rien faire.

— Ne pas avoir peur du loup !

— C'est ça ! Tu sais, Élise, je pense qu'on a tous notre propre peur du loup. On a tous quelque chose dans nos vies ou une caractéristique de notre personnalité qu'on aimerait changer. Malheureusement, c'est souvent plus facile de se complaire dans sa situation que de s'attaquer au problème. C'est tout moi. Je me plains et m'apitoie sur mon sort, mais je ne fais rien. Je crois que c'est le premier geste le plus difficile.

— Je te comprends tellement. Ce n'est pas facile de changer, de se remettre en question et de bouger.

— Ce matin, malgré ma migraine, je regardais les arbustes de la haie qui encadre ton jardin. D'ailleurs, c'est quelle sorte d'arbustes ?

— Ce sont des genévriers de Virginie.

— Des quoi de Virginie ?

— Des *Skyrocket*.

— Peu importe. Tu vois, ces conifères ont une forme bien définie, comme une fusée ou une goutte d'eau très allongée. Tu ne les tailles pas ?

— Non non, ils poussent comme ça naturellement. Pourquoi veux-tu savoir ?

— Je me demandais si nous étions comme ces
arbustes. Sommes-nous dotés d'une personnalité
bien définie impossible à modifier ? Ou pouvons-
nous apporter des changements et des améliorations
à notre être ? À notre « patron » original ?

— J'espère que oui, sinon c'est déprimant.

— C'est ça que je veux faire, je veux m'attaquer à
ma propre peur du loup. Je dois déterminer ce dont
j'ai envie et faire les démarches pour l'obtenir. Voilà !

— C'est un bon plan. Je vais essayer de l'appliquer
moi aussi, tiens ! Marie m'a dit que tu avais rencontré
un charmant jeune homme, hier ?

— Plus que charmant. J'ai rarement croisé un
homme avec autant d'atouts…

— Et ?

— Il m'a donné sa carte. Pour un instant, j'ai vraiment eu envie de lui sauter dessus.

— Pourquoi tu ne l'as pas fait ?

— Je ne me sentais pas à l'aise.

— Tu sais que tu peux inviter qui tu veux à l'appartement et à n'importe quelle heure. Tu es ici chez
toi. Je ne veux surtout pas que tu te prives de quoi que
ce soit ou de qui que ce soit, particulièrement avec la
description que m'a faite Marie de ton prétendant…

— Merci, Élise. Qu'est-ce que je vais faire, deux
semaines sans vous ? Vous partez demain, c'est ça ?

— Profites-en pour avoir de la compagnie !

— On verra bien. Je viens de me séparer. Je trouve
ça bizarre de partager mon intimité avec quelqu'un
d'autre. Mais ne t'inquiète pas, ça va finir par me
passer.

Toutes deux songeuses, Élise et moi regardons
avec beaucoup trop d'attention les arbustes qui nous
entourent.

— C'est drôle, Élise, je repense au temps où on
vivait toutes les trois dans notre vieil appart. On

était très jeunes, on n'avait pas beaucoup d'argent, ni d'expérience. Pourtant, il me semble qu'on n'était pas aussi « précautionneuses ». Tout semblait plus simple et à notre portée.

— C'est justement parce qu'on n'avait pas beaucoup d'expérience qu'on n'avait peur de rien… sauf de couler nos examens !

Lundi 2 février 2004
20 h 03

Sylvie mâche mollement sa gomme balloune sans m'accorder le moindre sourire. Elle me tend une paire de souliers deux couleurs et se dirige vers la pompe de bière en fût pour remplir le pichet que je lui ai commandé. C'est une grosse femme aux cheveux courts qui affiche toujours un air renfrogné. Je me dis que je finirai bien par l'avoir à l'usure. À la caisse, je m'informe de sa journée. Elle ignore ma question et me rend ma monnaie. Ce ne sera pas aujourd'hui que je briserai sa carapace. Pourtant, cela fait plusieurs mois qu'Élise, Marie et moi venons tous les lundis jouer au bowling *Super Quilles*, qui offre en cette journée peu achalandée des demi-prix sur les allées et la bière. Et tous les lundis, Sylvie nous offre sa charmante attitude. Nous sommes rapidement devenues des habituées du *Super Quilles*, puisque notre appartement est situé au-dessus.

Nous avons emménagé en juillet dernier dans ce logement qui n'est ni joli ni situé dans un quartier chic, mais qui possède au moins le mérite d'être grand, peu cher et à côté d'une station de métro. Je rejoins les filles. Élise lace ses chaussures alors que Marie exécute une routine d'étirements – routine d'étirements loufoques qu'elle a élaborée afin de nous faire rire et qu'elle perfectionne chaque semaine. Je pose le pichet de bière et les verres en plastique sur la table. Élise s'élance en premier ; elle fait un abat. Le système automatisé replace les quilles comme si elles étaient des pantins. Élise s'élance de nouveau. Encore un abat. En raison de notre pratique régulière de cette activité, nous sommes devenues toutes les trois très habiles aux quilles. C'est maintenant le tour de Marie, qui lance sa boule avec le même succès qu'Élise.

— Les filles, ça vous dirait de venir magasiner un tailleur avec moi, ce week-end ? J'ai une entrevue pour mon stage mardi prochain dans un bureau d'avocats et je n'ai rien à me mettre.

— Ton premier tailleur ! Je suis tellement émue, dit Marie en posant une main sur son cœur. Nous allons te trouver le plus beau de toute la ville !

— Pour ton stage ? Il n'est pas supposé n'être que dans deux ans ? s'enquiert Élise.

— Les grands bureaux recrutent très tôt. C'est tout un processus. Trois entrevues et un cocktail !

— Un cocktail ? demande Marie.

— J'imagine qu'ils veulent voir comment les candidats interagissent en public…

— Pour éliminer ceux qui ont l'alcool triste ou agressif, se moque Élise.

— Ou pour choisir celles qui ont l'alcool sensuel, ajoute Marie.

— Dans ce cas, je recommande à Sara de prendre plusieurs verres ! dit Élise en riant.

— Tu exagères !

— À peine ! Tu te rappelles à ma fête ? dit Élise.

— Il était si beau !!! lancé-je pour me défendre.

— Lequel ? Sébastien, Nicolas ou Félix ? renchérit Marie en rigolant.

— Ils étaient tous les trois charmants, répliqué-je en pouffant de rire. Bon, je vais me tenir loin du bar…

— Tu es nerveuse ? me demande plus sérieusement Élise.

— Non, j'ai vraiment un bon *feeling*. Il s'agit de mon bureau favori, mon premier choix. Je crois que l'ambiance y est très bonne et que leurs valeurs se rapprochent des miennes. J'ai eu une longue et très agréable discussion, au téléphone, avec Me Yves St-Onge. C'est lui que je vais rencontrer mardi, avec un certain Me Claude Lambert. J'ai vraiment l'impression qu'il s'agit d'un cabinet ouvert et aux idées modernes !

— Ils vont t'adorer, c'est certain ! lance Marie.

— À moins que je n'abuse du vin gratuit au cocktail ! dis-je en blaguant. Toi, Marie, il n'y avait pas une réalisatrice qui voulait te rencontrer ?

— Je suis allée prendre un café avec Nathalie Lepage, qui m'a proposé mon premier rôle au cinéma, annonce Marie en réussissant à garder une réserve.

— Ah oui ? demandons Élise et moi avec excitation.

— Je l'ai refusé…, dit Marie.

— Pourquoi ? s'enquiert Élise.

— Le Conservatoire d'art dramatique n'apprécie pas que ses étudiants travaillent ou acceptent des rôles pendant leur formation. C'est la raison officielle que je lui ai donnée.

— Et la vraie raison ? demandé-je en lançant une grosse boule rose bonbon dans l'allée.

— Il s'agissait d'une petite scène où je devais être assise – en string, les seins nus – sur le comptoir d'un bar, avec pour seule ligne : « Pouvez-vous me donner l'heure ? »

— « Pouvez-vous me donner l'heure ? » C'est tout ? demande Élise.

— Je crois qu'il s'agit d'une métaphore dont le sens n'est compris que par l'auteur et la réalisatrice…, explique Marie. Je ne veux pas commencer ma carrière comme ça. Je n'ai pas de problème avec la nudité, à la condition d'avoir un rôle qui la justifie.

Je ne veux pas être là seulement pour montrer mes seins.

— Tu fais bien ! Tu as pris la bonne décision. Tu vas voir, les contrats vont pleuvoir à ta sortie de l'école ! dis-je avec conviction.

— Oui ! Il faut demeurer positive ! J'aurai une grande carrière à L.A. ! répond Marie.

Élise agrippe deux boules et les place devant sa poitrine en prononçant langoureusement : « Pouvez-vous me donner l'heure ? » en rejetant sa tête en arrière pour donner un effet dramatique.

— Non, impossible de ne pas avoir l'air ridicule ! conclut-elle devant Marie, qui éclate de rire.

— Élise, as-tu finalement vu Mathieu samedi dernier ? lui demandé-je.

— Oui, il a fini par me donner signe de vie.

— Signe de vie ? Je crois avoir manqué une partie de l'histoire, s'informe Marie, qui a passé la dernière semaine à l'extérieur de la ville pour un entraîne-ment de ballet intensif.

— Ça faisait plus de deux semaines que je n'avais pas de nouvelles…

— Qu'est-ce que tu as fait ? m'informé-je.

— Pour me venger, je l'ai emmené jouer aux quilles.

— Tu l'as amené ici ?

— Non, dans une autre salle !

— Tu lui as dit que tu jouais toutes les semaines ?

— Au contraire ! Et j'ai agi comme si c'était natu-rellement facile. La salle était pleine à craquer. Il y avait un groupe de sexagénaires, à côté de nous, qui n'arrêtaient pas de se moquer de lui… le pauvre.

— Peut-être que ça va prendre plus de deux semaines avant qu'il te redonne des nouvelles, cette fois-ci…, avance Marie.

— Non ! Il a fini par trouver la situation très drôle. Puis je lui ai avoué le secret de mon talent. Il a ri de plus belle et s'est excusé de ne pas m'avoir rappelée plus tôt. Nous avons rendez-vous vendredi pour aller au restaurant. C'est lui qui m'invite !

— Technique dangereuse, mais efficace ! dis-je.

— Et toi, Sara, pas de rendez-vous galant après les rencontres que tu as eues à ma fête ?

— J'ai un rendez-vous jeudi avec Félix.

— Eh bien, ça m'étonne. J'aurais parié sur Nicolas, dit Marie.

— J'ai aussi rendez-vous avec Nicolas… samedi, dis-je du bout des lèvres.

— Quoi ? s'insurge faussement Élise alors que Marie pouffe de rire.

— Voyons, personne n'est encore engagé ! répliqué-je pour me défendre, sans trop y croire.

— Ça va mal se terminer ! affirme Marie, toujours en riant.

— Mais non, tout va bien aller ! dis-je sur un ton ferme en lançant une boule, qui termine sa course dans le dalot comme si elle voulait me donner tort.

Samedi 21 mai 2011
19 h 38

Mon père me passe une grande corbeille remplie de pain. J'attrape un morceau pour le tremper dans ce qui reste dans mon assiette de la délicieuse sauce bolognaise de ma mère. Plus tôt dans la journée, je suis allée chez Philippe chercher le reste de mes effets personnels. Il s'était organisé pour ne pas être au condo à ce moment-là, ce que j'ai apprécié. Ces derniers jours, je n'ai eu que quelques conversations téléphoniques très polies avec lui. Aucune tentative de sa part pour essayer de me reconquérir. Même si ma décision de quitter Philippe est ferme, une partie de moi aurait aimé qu'il fasse preuve d'un peu plus de résistance face à mon départ. Après les années passées ensemble, je suis stupéfaite de constater qu'il est si facile de rompre les liens. Je n'ai qu'à remplir des boîtes et changer l'adresse inscrite sur mon permis de conduire en y apposant un autocollant, un point, c'est tout.

Pour l'instant, mes parents ont accepté de conserver certains de mes biens en attendant que je me trouve un appartement. Ils m'ont même offert de retourner vivre avec eux, dans la maison de mon enfance à Laval, mais je n'en ai aucune envie. J'ai cependant accepté leur invitation à souper. Ma mère est absolument catastrophée par ma rupture et me traite comme si j'étais atteinte d'une maladie honteuse. Pourtant, je me sens plutôt bien, en dépit des circonstances.

— Mon Dieu, je ne peux pas croire que vous vous séparez. Vous faites un si beau couple, me dit ma mère, revenant à la charge.

— Nous *faisions* un si beau couple, et ce n'était qu'en apparence.

— Quelle tristesse, tout de même, après aussi longtemps.

— Ce n'est pas grave, maman.

— Mais qu'est-ce que tu vas faire ?

— Qu'est-ce que je vais faire ? Rien. Je vais bien, maman.

— Normand, il n'y a pas un jeune qui travaille à ton bureau ? Tu pourrais le présenter à Sara ?

— Non, merci. Je ne suis pas intéressée. Je vais bien !

— Oui, mais tu es toute seule, réplique ma mère, désemparée.

— Je suis bien toute seule. J'ai envie d'être seule et je vais demeurer seule pour un bon moment encore.

— Au moins, tu habites avec ta copine Élise.

— Oui, mais je veux me trouver quelque chose. Je regarde pour m'acheter un condo sur le Plateau ou dans la Petite Italie. J'aime beaucoup ces quartiers.

— Pourquoi tu n'attends pas de t'acheter un condo avec ton copain ? me demande ma mère.

— Parce que je n'ai pas de copain, maman ! Je ne vais pas attendre de rencontrer quelqu'un avant d'acheter un condo, c'est ridicule.

— Ce serait plus prudent, ajoute mon père.

— Hein ? Plus prudent ? Pourquoi plus prudent ? Je suis avocate dans le domaine de la construction, mes clients sont pour la plupart des entrepreneurs ou des ingénieurs. Je gagne un très bon salaire et j'ai environ 80 000 dollars d'économies qui dorment dans un placement « sûr » qui ne fait pas beaucoup d'intérêts.

— Quatre-vingt mille dollars ! s'exclame mon frère aîné, assis en face de moi. Tu as 80 000 dollars d'économies ? Comment c'est possible ? Tu t'habilles comme une carte de mode et tu es toujours au restaurant.

— Eh bien, encore une fois, je gagne un bon salaire. Je n'ai pas de voiture et je vivais dans le condo de Philippe, qui ne me faisait pas payer de loyer.

— C'était quand même un bon parti…

— Mamaaaan ! Donc, j'ai réussi à mettre de côté une somme assez importante chaque année. J'avais déjà les 20 000 dollars de la bourse d'excellence que j'ai décrochée à l'université et auxquels je n'ai jamais touché.

— Tu devrais quand même attendre d'avoir un copain avant de t'acheter un condo, insiste ma mère.

— J'hallucine ! Vous n'avez jamais recommandé ça à Charles. Il s'est acheté un condo tout seul il y a trois ans, lui !

— C'est vrai, ajoute mon frère, et je n'avais pas 80 000 dollars d'économies…

— Vous ne traitez pas Charles et moi *pari passu*[4] !

— Hein ? lance Charles.

— De la même façon.

---

4. « Du même pas. » Locution latine invoquant le principe de l'égalité de traitement pour les personnes dont la situation juridique est similaire, employée notamment en droit des affaires afin d'indiquer que les parties ou les créanciers sont traités de façon égale.

— Ah bon, répond-il.

— C'est parce que c'est un garçon! dis-je en m'emportant un peu.

— Mais non, calme-toi. C'est juste plus prudent, redit mon père.

Je me rends compte qu'il s'agit d'un dialogue de sourds. Je laisse tomber et prends un autre morceau de pain. Les commentaires et conseils de mes parents ont un effet négatif sur moi. Un sentiment de découragement s'empare de moi.

J'ai subitement envie d'une cigarette. Je dois absolument canaliser ce genre de pulsions afin de diriger ma révolte non plus contre moi-même, mais contre l'extérieur. Je décide de faire fi des commentaires de mes parents. Je ferai bien ce que je veux, après tout.

— Normand, comment il s'appelle déjà, le jeune, à ton travail? demande ma mère.

Je regarde mon frère avec exaspération. Pour sa part, il semble trouver la situation plutôt amusante.

4

Moi aussi, je peux faire des blagues

Jeudi 26 mai 2011
12 h 50

*J*e fais des efforts gigantesques afin de paraître intéressée par la présentation de Me Poitras, un avocat
fiscaliste du bureau. Il a été invité à notre réunion
de secteur afin de nous aider à démystifier certaines
lois fiscales. Mission non accomplie. Il s'exprime de
manière inintelligible dans un langage aride. Je balaie
des yeux la grande table de conférences du cabinet.
Aucun des vingt-deux autres avocats ne semble
suivre les explications saccadées de Me Poitras. Certains paraissent même plus intéressés à jouer avec les
restes de leur repas fourni par le cabinet. J'avale une
gorgée de café. Enfin, Me Poitras termine sa présentation et on l'applaudit mollement pour le remercier.
Je consulte l'ordre du jour. C'est à Marc-Olivier de
nous entretenir des développements dans un important dossier de litige, Les Industries Normandin inc.
Marc-Olivier prend la parole avec assurance malgré
le fait qu'il ait déjà perdu dans ce dossier une requête
en irrecevabilité afin de faire rejeter la poursuite. Il

expose sa stratégie en omettant toute référence à la requête perdue.

— Ce que je propose, c'est une stratégie « tigre » !

Je ne peux retenir un rictus. Marc-Olivier adore utiliser ce genre de qualificatif ringard.

— Je suggère de passer à l'attaque en déposant une défense bien tissée accompagnée d'une demande reconventionnelle agressive de plusieurs millions de dollars comprenant des dommages exemplaires et des conclusions en injonction. Je vous rappelle que non seulement notre cliente, Les Industries Normandin inc., se fait poursuivre de manière quasi quérulente par son ancien partenaire, mais ce dernier utilise pour son bénéfice personnel des informations confidentielles obtenues illégalement lors de leur relation d'affaires.

Marc-Olivier dépose son crayon d'un air satisfait en guise de conclusion. Je soupire intérieurement tout en me disant qu'il ne s'agit de rien d'exceptionnel. Les demandes reconventionnelles – procédure par laquelle le défendeur poursuit à son tour le demandeur – et les dommages exemplaires sont souvent utilisés, à tort ou à raison, afin de faire peur au poursuivant. Pour ce qui est des conclusions en injonction, elles ne seront exécutoires que si notre client gagne, et donc dans un délai trop long pour qu'elles soient efficaces. Je suis étonnée que Marc-Olivier ne suggère pas des procédures plus immédiates. Soudain, je sens une boule d'énergie m'envahir. Voilà une occasion parfaite qui se présente ; je dois la saisir ! *Allez, Sara !* Je fonce :

— D'après moi, avec égard pour mon très compétent collègue, il s'agit plutôt d'une stratégie « petit chaton », dis-je à titre d'introduction pour faire rire la galerie.

Ma remarque a eu l'effet escompté. Toutefois, l'attention de tous est dorénavant rivée sur moi. Marc-Olivier me lance un regard dur. Je me détends et continue.

— Tout comme Marc-Olivier, je pense qu'il est nécessaire de déposer une demande reconventionnelle avec dommages exemplaires et conclusions en injonction. Par contre, je ne trouve pas cela suffisant. Notre cliente, qui est prospère mais néanmoins modeste, devra attendre encore plusieurs années avant la fin du litige. À ce moment, l'injonction sera devenue inutile. Notre cliente subit des dommages maintenant. De plus, le demandeur, Oxcan inc., maintient cette poursuite afin de nuire commercialement à notre cliente, qui possède moins de moyens financiers. Je doute que notre cliente aura les reins assez solides pour mener la bataille jusqu'au bout.

— Que proposes-tu, Sara ? me demande le chef de secteur, Me Jean Rivest.

C'est le moment ou jamais, alors je me lance.

— Je propose de répondre de façon très agressive avec une ordonnance de type *Anton Piller*. Cette ordonnance nous permettra d'aller fouiller dans les locaux d'Oxcan afin de récupérer l'information confidentielle appartenant à notre cliente et de lui en interdire toute utilisation. De surcroît, j'ai lu ce matin dans le *Journal des affaires* que la société américaine Nusta est en pourparlers afin d'acquérir un gros pourcentage des actions du demandeur. Qui dit pourparlers d'achat d'actions dit vérification diligente. Ainsi, il doit y avoir en ce moment une dizaine de comptables et de vérificateurs mandatés par Nusta qui analysent les livres d'Oxcan dans ses locaux.

Me Jean Rivest s'adosse dans son fauteuil avec un sourire en coin. Je crois que l'idée lui plaît. Un *Anton Piller* est une procédure d'urgence *ex parte*[5]. Elle permet d'aller demander au juge la permission de faire une saisie surprise chez la partie adverse. Ainsi, la partie contre laquelle la procédure est prise voit

5. « Par une partie. » Locution latine utilisée en droit afin d'indiquer que l'audition devant le juge se fait en l'absence de la partie adverse.

débarquer dans ses locaux des avocats qui fouilleront et saisiront des documents ou du matériel. Un avocat indépendant d'un autre cabinet sera mandaté par le juge afin de s'assurer que l'ordonnance soit suivie et qu'il n'y ait pas d'abus de part et d'autre. Le langage non verbal de mon chef de secteur m'encourage à poursuivre mes explications :

— C'est le meilleur moment. Nous pourrions récupérer l'information confidentielle de notre cliente tout en bloquant le processus de vérification diligente de Nusta par une saisie longue, envahissante et embarrassante dans les bureaux du demandeur, Oxcan.

— Un *Anton Piller*... N'importe quoi ! lance Marc-Olivier.

Personne ne tient compte du commentaire de mon collègue. Je continue :

— Avec un peu de chance, une demande de règlement suivra sous peu. Il faut leur montrer que notre cliente ne se laissera pas anéantir par des pratiques concurrentielles douteuses.

— Sara, penses-tu que la saisie pourrait avoir lieu dans un court délai ? me demande Me Jean Rivest.

— Yves et moi en avons déjà exécuté une dans un délai record afin de saisir des vidéos avant qu'ils se retrouvent sur le Web.

— C'est vrai, ajoute Me St-Onge. La procédure s'était bien déroulée. Nous avons réussi à saisir tout le matériel avant que des dommages soient causés à notre client. Ce dernier était fou de joie.

— Ne faut-il pas invoquer l'urgence, comme critère, afin d'obtenir l'autorisation du juge ? s'informe le chef de secteur.

— Notre client subit maintenant un dommage irréparable, d'autant plus que nous avons de bons motifs de craindre que les documents et l'information recherchés passeront dans des mains étrangères, réponds-je avec satisfaction.

— Très bien. Je suis convaincu ! lance Me Rivest d'une voix autoritaire. Sara, prépare dès maintenant l'ordonnance que tu iras présenter devant le juge puis exécuter chez Oxcan. Je me charge d'informer la cliente. Yves, as-tu du temps pour encadrer le tout ?

— Certainement !

— C'est bon pour aujourd'hui, la réunion est terminée.

Pressée de me mettre au travail, je me lève en premier et passe derrière le fauteuil de Marc-Olivier. Je m'arrête et me tourne vers la table bordée d'avocats qui se préparent à quitter. Je ne peux m'empêcher un dernier commentaire.

— Ah oui, je propose de nommer cette stratégie « gros minou » ! dis-je en riant et en tapant avec une affection forcée une épaule de Marc-Olivier.

L'effet est contagieux et tous éclatent de rire en se dirigeant vers la sortie. Je regarde Marc-Olivier et lui dis : « Je fais des blagues, je fais des blagues. »

Jeudi 26 mai 2011
16 h 11

Je prépare ma procédure en fredonnant. La réunion de secteur m'a laissée dans de très bonnes dispositions.

— Sara...

Mon chef de secteur apparaît à ma porte.

— Bonne initiative, ce midi ! La procédure avance bien ?

— Comme sur des roulettes !

— Fantastique ! Que fais-tu, ce soir ? Il me reste un billet pour le cocktail dînatoire bénéfice Bâtissons la jeunesse. Nous serons un petit groupe du secteur à y assister. Veux-tu te joindre à nous ?

— Avec plaisir, réponds-je sur-le-champ.

— Parfait. À bientôt.

Me Jean Rivest quitte mon bureau après m'avoir remis mon billet. Je suis absolument ravie. Non seulement j'ai obtenu un mandat intéressant, mais mon chef de secteur vient de m'inviter personnellement à une activité du bureau.

Jeudi 26 mai 2011
20 h 50

Je bois du champagne et mange gaiement des huîtres. J'en raffole. Je me suis même installée à côté du bar à huîtres afin d'en profiter au maximum. Ma soirée se déroule très bien. Un peu plus tôt, j'ai pu impressionner plusieurs associés de mon bureau, dont mon chef de secteur, avec ma fabuleuse histoire de pêche à l'espadon. Il y a quelques années, j'étais partie en vacances au Mexique avec mon frère. Sur un coup de tête, nous avions décidé d'aller pêcher en haute mer avec un groupe que nous avions rencontré en faisant de la plongée. Comble de l'ironie, un espadon de sept pieds de long avait choisi de mordre à ma ligne. C'était la première fois que je pratiquais ce sport et ce fut la dernière. J'avais évidemment eu beaucoup d'aide pour sortir l'énorme poisson de l'eau, ce qui avait pris plus de deux heures. Si ce n'avait été que de moi, j'aurais bien laissé partir la pauvre bête après une quinzaine de minutes de lutte, en coupant la ligne, mais les autres membres de l'équipage étaient survoltés. J'ai compris par la suite qu'une telle prise était le rêve de bien des pêcheurs. J'ai gardé de cette expérience une photographie avec un immense poisson et une anecdote extraordinaire qui fait mouche chaque fois. Je ne peux pas croire que je n'ai pas pensé plus tôt à l'utiliser avec les associés de mon bureau, à défaut de pouvoir les emmener magasiner…

Le discours de l'invité d'honneur, Richard Williams, touche à sa fin. Celui-ci mentionne l'importance d'aider les jeunes en difficulté à se construire un meilleur avenir. Il invite ensuite les gens à miser sur les nombreux lots de l'encan silencieux, dont tous les profits iront à la construction d'un nouveau centre jeunesse dans un des quartiers défavorisés de Montréal. Richard Williams, un mécène qui a financé de nombreux projets comme celui-là, est une véritable star de l'immobilier. Il travaille toujours sur des mégachantiers internationaux, et les complexes qu'il bâtit sont à la fine pointe de la technologie. Je me rappelle avoir lu dans un magazine qu'il était le «Bachelor numéro 1 du Québec». Très riche, cultivé et bel homme – blond, yeux bleus, grand, assez costaud, début quarantaine –, Richard Williams a tout pour plaire.

Selon la journaliste, il est encore célibataire en raison de son travail, pour lequel il doit séjourner à l'étranger de longues périodes. Richard Williams quitte la scène et se dirige vers le bar à quelques pas de moi. Trois femmes l'interceptent et le couvrent de compliments. Elles sont indubitablement très heureuses d'être en sa compagnie et se comportent comme s'il s'agissait d'Elvis en personne. Elles ont dû lire le même article que moi. Je me détourne du groupe pour prendre mes courriels sur mon téléphone. Je sens une présence à mes côtés et me déplace légèrement pour laisser la personne avoir accès au bar. Il s'agit de Richard Williams. Il s'adresse aux femmes en leur disant qu'il revient dans trois minutes. L'une d'elles répond d'une voix un peu trop aiguë: «Trois minutes, pas plus!» Richard Williams commande un verre de whisky et pousse un long soupir bien senti. Il pose son regard sur moi et me fait un sourire.

— Richard Williams, me dit-il en me tendant la main.

— Sara Clermont. Longue soirée?

— C'est à cause du soupir? Ce n'est rien. C'est seulement que certaines personnes peuvent faire preuve d'une ténacité remarquable.

— J'ai la solution à votre problème.

— Ah oui ?

— Il ne faut pas faire d'article mentionnant que vous êtes riche et célibataire, dis-je avec amusement sur un faux ton de confidence.

Richard Williams éclate de rire.

— Je ne sais pas pourquoi, je me suis laissé convaincre. C'était une idée terrible.

— Si je me rappelle bien, on y mentionnait même que vous aimez les enfants et les chiens. Vous cherchez vraiment les ennuis…

— J'ai honte ! répond-il en riant de plus belle.

Richard Williams pointe alors mon assiette, qui déborde de coquillages. C'est à moi d'être gênée.

— Vous aimez les huîtres ?

— Certains participent à des soirées-bénéfice pour venir en aide aux jeunes, d'autres le font pour les huîtres. J'ai même demandé au chef s'il était possible de miser sur une caisse d'huîtres dans le cadre de l'encan silencieux, dis-je à la blague.

Jeudi 26 mai 2011
21 h 56

Richard et moi discutons depuis environ une heure. J'éprouve beaucoup de plaisir à m'entretenir avec lui. C'est de toute évidence réciproque, puisqu'il a rapidement mis fin aux conversations de chacune des nombreuses personnes qui sont venues lui parler. Il m'a expliqué qu'il est à Montréal pour une très courte période. Il doit faire un bref séjour à New York ce week-end et repart lundi pour son chantier, à Dubaï, pour plusieurs mois.

Il loge en ce moment dans un loft du Vieux-Port qui appartient à un ancien client. Le loft, qui offre une magnifique vue sur le fleuve, est doté d'une immense baie vitrée ornée de véritables jardins suspendus reliés par des plateformes mobiles.

— C'est vraiment de toute beauté. Le plus impressionnant des jardins se trouve sur le toit de l'immeuble. Sara, pourquoi ne viens-tu pas prendre un verre avec moi, au loft? Je te ferais visiter.

— Euh, ce soir?

Ma question est d'un ridicule absolu, mais son invitation m'a prise au dépourvu.

— L'immeuble mérite vraiment d'être vu. Mon invitation n'engage à rien, promis.

— Je ne suis pas certaine. Je travaille tôt, demain…

— J'aime les enfants et les chiens! lance-t-il à la blague afin de me convaincre.

— Pourquoi pas? dis-je finalement, en partie en raison de l'excès de bonne humeur qui m'habite depuis la réunion et en partie en raison du charme presque insoutenable de Richard.

Jeudi 26 mai 2011
22 h 03

Richard ferme la portière du taxi après que je me suis assise sur la banquette et fait le tour pour monter de l'autre côté. J'aperçois par la fenêtre de la voiture Me Claude Lambert qui regarde fixement dans notre direction. J'ai l'impression que sa mâchoire va se décrocher tellement sa bouche est grande ouverte.

Jeudi 26 mai 2011
22 h 25

Richard ne mentait pas, le loft est absolument magnifique. Nous traversons le dernier jardin, situé sur une terrasse perchée sur le toit. D'un côté, la vue donne sur le fleuve Saint-Laurent, et de l'autre, sur la ville de Montréal. La brise fraîche déplace doucement mes cheveux sur ma nuque, me faisant frissonner. Richard s'approche de moi.

— Je suis très heureux de t'avoir rencontrée, me dit-il.

— Moi aussi, réponds-je en l'observant.

Il a enlevé sa cravate à notre arrivée dans le loft. Le col de sa chemise blanche immaculée est ouvert, et celle-ci contraste avec le noir de son complet parfaitement ajusté.

— Tu es tellement belle.

— C'est la jeunesse, dis-je sans broncher, Richard étant de seize ans mon aîné.

— Non, non. J'ai fréquenté de nombreuses femmes de ton âge et…

— Ce n'est pas vraiment à ton avantage de dire ça, le coupé-je moqueusement.

— Je veux dire de nombreuses femmes de tous les âges et…

— Ce n'est pas vraiment mieux.

Richard passe une main dans ses cheveux en souriant timidement. Il me regarde intensément et avec désir. Il retrouve soudain son aplomb, s'avance vers moi, me prend vigoureusement par la taille et m'embrasse langoureusement.

Jeudi 26 mai 2011
23 h 58

Je m'étire dans le grand lit. Je ne peux m'empêcher de sourire ; Richard est un excellent amant. J'aurais bien voulu faire l'amour sur la terrasse, mais la température fraîche ne le permettait pas vraiment. Nous avons dû nous retrancher dans la luxueuse chambre à coucher. Richard réapparaît avec deux grands verres de jus. Il m'en tend un et s'assoit à mes côtés. J'avale quelques gorgées du liquide doux et sucré. Richard embrasse tendrement mon épaule, ma nuque et ma peau, tout le long de ma colonne vertébrale. J'ai à peine le temps de déposer mon verre.

Vendredi 27 mai 2011
7 h 21

J'entrouvre les yeux. Richard joue dans mes cheveux. Je suis surprise de le voir réveillé. Il m'adresse un sourire. Je regarde l'heure. Mon Dieu! Je dois absolument me rendre au travail!

— Il faut que je parte! dis-je en me redressant.

Le visage de Richard change. Il a l'air blessé. Je ne m'attendais pas à autant de tendresse de sa part. Je reprends rapidement mes esprits et mes manières. Je lui retourne son sourire et me penche pour l'embrasser.

— J'ai passé une soirée merveilleuse.

— Tu dois partir maintenant? me demande-t-il en m'entraînant sous lui.

— Il faut que j'aille travailler…

— Tu ne peux pas prendre l'avant-midi de congé?

— Non, j'ai une ordonnance de saisie qui ne peut pas attendre…

— C'est vraiment dommage. Je proteste! dit-il en glissant doucement un doigt sur mon visage.

— On ne peut pas se voir ce soir? demandé-je en m'esquivant du lit.

— Je prends l'avion en milieu d'après-midi pour New York.

— C'est vrai que c'est dommage, dis-je en ramassant mes vêtements qui traînent un peu partout sur le sol.

— Veux-tu que j'aille te conduire chez toi?

— Mais non, je vais prendre un taxi.

— Il n'y en a pas beaucoup qui passent sur cette rue.

— Je vais en appeler un.

— Fais-moi plaisir et prends au moins la voiture de la compagnie.

— Ce n'est pas nécessaire.

— Ce n'est rien, j'appelle.

Pendant que Richard donne des indications au chauffeur, je cherche désespérément mes souliers. Les voilà ! Je m'habille rapidement. Comme je n'ai aucune envie de remettre ma petite culotte de la veille, je la glisse dans la poche du veston de mon tailleur. Je fais un nœud dans mes cheveux et attrape mon sac à main. Richard me raccompagne jusqu'à la porte. Il sort même sous le porche de l'immeuble vêtu seulement d'une serviette nouée autour de la taille.

— C'est bête de se quitter comme ça, me dit-il en replaçant la ganse de mon sac à main sur mon épaule. Tu me laisses tes coordonnées ?

— Avec plaisir, dis-je en lui remettant ma carte professionnelle, mon numéro de téléphone cellulaire griffonné dessus. Tu reviens quand à Montréal ?

— Pas avant le printemps prochain…

— Je n'attends pas d'appel de sitôt alors…

Richard me lance un regard déjà rempli de nostalgie et m'embrasse une dernière fois avant que je le quitte.

Vendredi 27 mai 2011
8 h 33

Je descends les trois marches du condo d'Élise. Le chauffeur de Richard m'y a déposée plus tôt. J'ai pris une douche et me suis changée. J'ai le cœur léger. J'aperçois le taxi que je viens d'appeler pour me rendre au travail. Je dépose le sac-poubelle que je tiens à bout de bras sur le bord du trottoir avec les autres. J'éprouve un trop grand sentiment de satisfaction pour un geste domestique aussi banal. Pas capable de me débrouiller toute seule… Non mais, vraiment!

Vendredi 27 mai 2011
8 h 56

À ma sortie de l'ascenseur, je salue joyeusement de la main la réceptionniste et traverse le corridor en chantonnant une chanson de Brel. Je croise Marc-Olivier et lui souhaite une bonne journée sur un ton enthousiaste, même pas forcé, cette fois.

— Je vois que ton nouveau mandat te comble de bonheur, me lance-t-il avec une pointe d'amertume.

— Pas seulement le mandat, Marc-Olivier, pas seulement le mandat, dis-je en m'éloignant.

J'arrive à mon bureau et m'arrête brusquement dans l'embrasure de la porte. Me Lambert y est. Je prends alors la décision irrévocable de ne plus lui accorder le pouvoir de gâcher mes journées, ni mes élans de gaieté.

— Bonjour, maître Lambert. Comment allez-vous ce matin?

— Je vais très bien. Je suis venu te porter ce dossier qui traînait dans mon bureau, me dit-il en pointant des documents classés dans un soufflet qu'il a déposé sur ma chaise.

C'est bien une première, Me Claude Lambert qui se déplace pour me ramener un dossier.

— Eh bien, merci!

Me Lambert fait mine de quitter la pièce mais s'arrête devant moi. Je vois qu'il cherche ses mots. Je savais qu'il y avait anguille sous roche.

— Hier soir, après le cocktail dînatoire, tu as partagé un taxi avec l'invité d'honneur, Richard Williams?

— C'est exact, réponds-je en souriant et sans rien ajouter.

Me Lambert me regarde avec attention. Il s'attend à ce que je lui fournisse une quelconque explication qui pourrait faire en sorte de sauvegarder ma vertu. Je ne bronche pas. C'est la ligne dure, je ne confirme rien et ne nie rien. Il brise le silence en premier. Je gagne le duel.

— Et comment va ton conjoint… Philippe, c'est ça?

— Ce n'est plus mon copain, je suis célibataire, dis-je en insistant sur le mot «célibataire» et en souriant de toutes mes dents.

Sans attendre sa réaction, je le contourne et entre dans mon bureau pour m'asseoir devant mon ordinateur.

Vendredi 27 mai 2011
17 h 36

Je marche tranquillement en direction du condo d'Élise. Par je ne sais quel tour de force, j'ai réussi à terminer toutes les tâches que j'avais prévu accomplir avant le week-end. J'ai rendez-vous avec le juge en chambre lundi prochain à 11 h 15. Après avoir révisé ma procédure, Yves m'a dit qu'il était très confiant quant à un dénouement positif.

J'ai le cœur festif, mais je n'ai pas eu le temps de planifier une quelconque activité, d'autant plus que Marie et Élise sont à l'étranger. Je remarque une voiture noire garée en face du condo. Je n'y prête pas attention et me dirige vers la porte d'entrée. Devant elle se trouve Richard, qui regarde avec perplexité les noms des propriétaires accompagnés de leur sonnette respective adjacents à un haut-parleur.

— Richard?

— Sara! Je suis content de te voir, je ne me souvenais plus du nom de ton amie.

— Tu ne devais pas partir à New York?

— J'ai convaincu la personne avec qui j'avais rendez-vous de le reporter à demain.

— Un samedi?

— J'avais de très bons arguments.

— Tu pars demain?

— Non, dans une heure et quart.

— J'ai oublié quelque chose au loft? lui demandé-je avec incompréhension.

— Pas du tout. Je suis venu t'inviter à m'accompagner. Qu'est-ce que tu dirais d'un week-end à New York?

— Euh, je ne sais vraiment pas. Je dois te répondre tout de suite?

— Oui. Et tu as environ cinq minutes pour te préparer. Ça va être formidable, enchaîne-t-il avec élan. J'ai une suite au *Gustav Hotel*. Tu vas voir, c'est un hôtel magnifique. C'est moi qui l'ai construit! J'ai réservé dans un des meilleurs restaurants de Manhattan pour le souper. Demain, si tu veux, on fait la grasse matinée. Pendant mon rendez-vous d'affaires, tu pourras en profiter pour visiter. Moi, j'irai te rejoindre tout de suite après. On peut même aller voir un spectacle sur Broadway, si ça te tente. C'est sûr qu'on va s'amuser. Pour le retour, nous partirons lundi matin à 6 heures, toi pour Montréal et moi pour Dubaï. Qu'en dis-tu? La voiture est devant pour nous conduire à l'aéroport.

— Tu as déjà réservé au restaurant? Tu t'es déplacé pour venir me chercher au lieu de m'inviter par téléphone d'abord? Tu ne dois pas te faire dire non souvent.

— Je me suis dit que j'aurais plus de chances de te convaincre en personne avec un bon plan. Pars avec moi, Sara!

— Comment as-tu eu mon adresse?

— Le chauffeur. Donc?

— C'est combien, les billets d'avion?

— Mais rien du tout, c'est un vol privé de ma compagnie.

— Bon, ce n'est pas comme si j'avais autre chose…

— Super ! Allez ! Allez ! Il faut que tu fasses ta valise !

Je fais hâtivement mon bagage pendant que Richard m'attend dans le salon. Rapidement, je commence à douter de la justesse de ma décision. Ce n'est peut-être pas une bonne idée, après tout. Je connais à peine Richard. Est-ce que j'ai vraiment envie de passer tout un week-end avec un étranger dans une autre ville ? J'hésite. Au pire, je pourrai toujours prendre une autre chambre dans un autre hôtel et m'acheter un billet d'avion si ça tourne mal. Je ne suis quand même pas sans moyens.

Cela dit, je ne veux pas dépenser une fortune pour rien. Est-ce qu'il s'agit d'un mauvais plan ? Je suis déjà suffisamment ébranlée par ma séparation et mon déménagement, je n'ai pas besoin davantage de tourmente. Je devrais être plus sage. Je continue à faire ma valise, mais beaucoup plus lentement. Alors que je suis sur le point de revenir sur ma décision, je tombe sur la robe noire que j'avais achetée pour l'ouverture du restaurant de Philippe, justement à New York. Une vague d'énergie me submerge et tous mes scrupules se dissipent. J'ai besoin d'aventure. J'ai envie de faire l'amour à Richard souvent et dans tous les endroits, sur le tapis de la chambre d'hôtel, sous la douche, dans la chambre à coucher, sur le balcon. J'ai envie de bien manger, de bien boire, de porter ma robe sans sous-vêtements et de me sentir libre. Je désire me perdre dans la luxure et la gourmandise.

Lundi 30 mai 2011
6 h 14

Mon avion prend de l'altitude. Je suis en route vers Montréal. J'ai passé un excellent week-end avec Richard. C'était exactement ce dont j'avais besoin.

J'ai pu faire le plein de compliments. Pour Richard, toutes les occasions étaient bonnes pour me dire à quel point j'étais magnifique. Il m'a traitée aux petits oignons tout le long de ce séjour et ne manquait pas de rire avec sincérité à tous mes commentaires humoristiques. Avec lui, je me suis sentie si bien. Nous avons fait l'amour avec appétit, comme si les années précédentes n'avaient été que famine. Richard accordait à chacune des parties de mon corps une attention soutenue, tel un archéologue découvrant un fabuleux trésor. Je souhaite à toute femme éprouvée par une rupture amoureuse de croiser un Richard.

Nous avons également discuté de nos carrières respectives. Je lui ai demandé où il puisait son attitude confiante et posée. Il m'a alors confié qu'il n'a pas toujours été ainsi. Au début de sa carrière, il croulait sous le poids de l'angoisse devant toutes les décisions importantes qu'il devait prendre. Conscient de son anxiété, qui prenait année après année des proportions démesurées, il n'a eu d'autre choix que de modifier son attitude et sa vision des choses s'il voulait éviter l'épuisement professionnel. J'ai été soulagée de constater que même une personne possédant autant de charisme et pour qui le succès semble si facile a dû surmonter ses incertitudes et ses angoisses.

Je ferme les yeux pour essayer de dormir un peu. De délicieuses images de mes ébats avec Richard me reviennent. Je sens un sourire se dessiner sur mes lèvres.

Lundi 30 mai 2011
10 h 23

Debout en sous-vêtements devant le comptoir de cuisine d'Élise, je mange une barre tendre tout en révisant ma procédure. Je me suis arrêtée au condo pour me changer et relire mes documents. J'irai directement au palais de justice pour mon rendez-vous avec le juge. Je ferme mon dossier et avale la dernière gorgée de mon café.

Je me dirige vers ma chambre, où j'ai étendu sur le lit les vêtements que j'ai choisi de porter pour ma rencontre. J'ai acheté à New York une magnifique jupe cigarette noire très ajustée qui me va comme un gant et un chemisier vaporeux en soie blanche. L'ensemble me donne un look sexy à la Marilyn Monroe tout en étant très convenable, puisque la jupe m'arrive au genou. J'ouvre mes tiroirs et agrippe une paire de bas nylon autofixants de couleur chair, presque transparents.

Je regarde les jolis motifs de la jarretière de dentelle doublée d'une bande adhésive chargée de retenir le bas à mi-cuisses. Dommage, aujourd'hui personne ne pourra profiter de mes dessous si sensuels, qui seront cachés sous mes vêtements, me dis-je en pensant à Richard.

Lundi 30 mai 2011
11 h 08

Je paie en vitesse le chauffeur de taxi et saute en catastrophe hors de la voiture sans attendre qu'il me remette un reçu. Des travaux de construction causent un énorme embouteillage dans les rues du Vieux-Montréal. La voiture faisait du surplace et j'ai dû demander au chauffeur qu'il me dépose à deux coins de rue de ma destination. Mon rendez-vous est à 11 h 15. Je dois faire vite ! Ne me souciant guère de mon manque total d'élégance, je cours en talons hauts sur le trottoir de pavé uni, traînant derrière moi ma mallette à roulettes. J'arrive enfin devant l'escalier de l'entrée principale du palais de justice. Alors que je grimpe les marches deux par deux, j'entends un grand CRAC ! et sens de la fraîcheur sur le haut de mes cuisses et sur mes fesses. Au secours !!! Ma jupe vient de céder ! N'ayant pas le temps de m'arrêter, j'essaie de constater les dégâts avec ma main libre. L'arrière de la jupe s'est presque complètement décousu. Je ne peux pas me permettre d'être en retard devant le juge ; encore moins le voir les fesses à l'air !

Lundi 30 mai 2011
11 h 13

J'entre en panique dans le vestibule du cabinet du juge servant de bureau à sa secrétaire. Louise m'accueille avec amabilité :

— Bonjour, maître Clermont. Le juge Blouin n'est pas encore arrivé, mais ça ne sera pas long...

Sans lui dire un mot, je me tourne et lui montre avec énervement la fente de ma jupe.

— Mon Dieu ! Qu'est-ce qui s'est passé ?

— Elle s'est décousue lorsque j'ai monté l'escalier en courant ! Est-ce qu'on voit mes fesses ?

— Non non. La fente arrête juste en dessous, me répond-elle en se levant avec précipitation. Mais on peut voir la jarretière de tes bas... *Wow !* Ils sont sexy ! Tu les achètes où ?

— On les trouve dans la plupart des boutiques de lingerie, mais ils sont souvent beaucoup moins chers dans les magasins à grande surface, réponds-je en oubliant pour un instant ma situation.

— Je vais m'en acheter, c'est certain !

Je reviens à la réalité et lui dis avec agitation :

— Je ne peux pas rencontrer le juge comme ça ! Qu'est-ce que je fais ?

— Attends ! J'ai peut-être une épingle à nourrice dans mes affaires.

Louise fouille frénétiquement dans ses tiroirs. Elle lève les yeux et me regarde avec désolation :

— Je suis navrée, je n'en ai pas...

— Je vais mettre mon veston autour de ma taille !

— Non ! Le juge Blouin est très soucieux du code vestimentaire. Il va refuser de t'entendre si tu ne portes pas de veston.

— Je vais enlever mes bas, ça va être moins pire...

— Bonne idée ! lance-t-elle en me faisant signe de me dépêcher.

Je n'ai malheureusement pas le temps de me pencher que Louise me tire vers elle par le bras pour que je puisse faire face au juge, qui fait son entrée.

— Maître Clermont, je suis heureux que vous soyez là. Je n'ai qu'une petite demi-heure à vous accorder.

Le juge Blouin entre dans son cabinet et me somme de le suivre. Je lance un regard résigné à Louise et je marche derrière lui.

Lundi 30 mai 2011
11 h 52

Je déambule le cœur joyeux dans une petite rue très ensoleillée du Vieux-Montréal. Je viens d'obtenir mon ordonnance de saisie. J'ai réussi à cacher, non sans difficulté, mes pauvres jambes au juge Blouin et j'ai bien plaidé ma requête. Le moment le plus critique a été lors de ma sortie. C'était digne d'une comédie de série B. Le juge a quitté son cabinet en même temps que moi pour aller dans le bureau de sa secrétaire, où il s'est arrêté pour lire son courrier. J'ai dû raser les murs, mon dos collé sur eux, jusqu'à ce que je ne sois plus dans son champ de vision. Je me remémore en souriant le regard perplexe du juge et l'expression amusée de Louise.

Maintenant, sous les doux rayons du soleil, je déborde d'énergie et ne me soucie plus de ma jupe décousue, ni de mes bas. Je traverse la rue et passe à côté d'un échafaudage où travaillent plusieurs ouvriers. J'entends l'un d'entre eux s'écrier :

— Le plombier vient d'arriver !

Je me retourne vivement pour le regarder. Il s'agit d'un beau garçon imberbe dont la camisole légère permet d'admirer les muscles saillants. Il est jeune, certainement plus que moi et que les travailleurs qui l'entourent. Un coup d'œil me suffit pour constater que seule la structure de béton de l'édifice est érigée et que la présence d'un plombier ne sera pas utile avant longtemps. Je souris à l'ouvrier et lui demande sur un ton moqueur :

— Un plombier, mais pour quels tuyaux ?

— Euh…, échappe-t-il en se grattant le cou, un peu mal à l'aise.

— C'est ce que je pensais. Je te remercie pour le compliment, alors ! dis-je narquoisement en lui envoyant un clin d'œil.

Le visage du jeune ouvrier devient écarlate alors que les autres éclatent bruyamment de rire. Je salue les travailleurs de la main en riant à mon tour et continue mon chemin.

Lundi 30 mai 2011
12 h 35

De retour au bureau et ayant enfilé le tailleur de secours que je conserve dans mon placard, je suis allée raconter le bilan de mes exploits à Yves St-Onge et à mon chef de secteur en y mettant beaucoup d'émotion. C'est une première pour moi. Avant, j'allais évidemment faire un compte rendu à Yves, mais je restais humble et je ne donnais que le résultat. Aujourd'hui, je leur en donne pour leur argent. J'ai rapporté avec suspense chacun des mots, des soupirs et des expressions du juge, mais j'ai bien sûr gardé pour moi l'épisode de la jupe…

Mardi 31 mai 2011
9 h 03

Quatre gardiens de sécurité sont plantés devant moi et me barrent le passage. Ils sont tout de même très courtois, politesse qu'ils n'accordent toutefois pas à mes huissiers. Il va sans dire que le fait d'être une femme comporte parfois des avantages non négligeables. D'autant plus que je n'ai montré aucun signe d'agressivité.

Au contraire, je leur ai offert mon plus beau sourire, je me suis présentée et je leur ai serré la main. Je crois bien que, sans ma présence, mes huissiers auraient été rudement jetés à la rue. Les gardiens sont arrivés en catastrophe après que j'eus signifié à la réceptionniste l'objet de ma présence et que je lui eus montré l'ordonnance de la cour permettant la saisie. Je vois derrière eux un homme maigre et agité qui tente désespérément de joindre par téléphone les avocats de l'entreprise. Je ne bouge pas et ne perds pas mon sourire. J'attends patiemment le retour de l'avocat indépendant chargé de superviser la saisie avant de poser tout autre geste.

À 8 h 55, j'ai été heureuse de voir arriver Vincent Langelier devant la porte d'entrée. Je savais que c'était son bureau qui avait été mandaté par le juge, à notre suggestion. En revanche, je ne savais pas lequel des avocats de son cabinet serait dépêché. Vincent revient accompagné du président d'Oxcan, Robert O'Connor, qui affiche un air furieux. Quelques minutes plus tôt, Vincent a dû l'emmener à l'écart puisqu'il s'emportait dangereusement. Comme Vincent agit en quelque sorte à titre de représentant de la Cour, c'est son rôle d'expliquer la situation à la partie adverse et de faire la lecture de l'ordonnance de saisie. Il a été très habile avec M. O'Connor et a réussi à le calmer presque immédiatement. Vincent a une assurance et un aplomb qui lui permettent d'imposer facilement sa

124

volonté. Et, bien sûr, son apparence l'aide beaucoup. En plus de toujours être impeccablement vêtu, il est grand et costaud. Ses épaules sont robustes et tout laisse croire qu'il a le physique d'un athlète, sous son complet.

— La saisie peut débuter, annonce Vincent.

Je fais signe à mes huissiers pour qu'ils s'installent dans des endroits stratégiques du bureau. Je veux qu'ils s'assurent qu'aucune donnée ne sera dissimulée ou détruite. Robert O'Connor fait un pas en avant afin de s'interposer physiquement. Il n'est pas content. Je remarque que de grosses gouttes de sueur perlent sur ses tempes pourpres. J'ai peur qu'il ne s'emporte à nouveau. Les gardiens se resserrent également. C'est à mon tour de prendre la parole.

— Monsieur O'Connor, messieurs les gardiens de sécurité, vous êtes maintenant informés qu'il existe une ordonnance de saisie à l'encontre de votre compagnie émanant d'un juge de la Cour supérieure qui est exécutoire immédiatement, dis-je sur un ton très calme. Si vous entravez d'une quelconque manière l'exécution de l'ordonnance, vous vous exposez – la compagnie et chacun de vous personnellement – à une condamnation pénale d'outrage au tribunal. Je vous informe qu'il y a deux options possibles. Première option, vous nous laissez passer et nous procédons à la saisie ; seconde option, vous vous interposez, les huissiers appellent la police, nous nous retrouvons tous devant le juge pour votre audience pour outrage au tribunal et connaître les détails de votre condamnation et, finalement, nous procéderons tout de même à la saisie. C'est votre décision.

Robert O'Connor ne daigne pas répondre mais s'éloigne d'un pas lourd en marmonnant des insultes inintelligibles. C'est sa façon de nous indiquer qu'il a sagement choisi la première option. Les huissiers peuvent maintenant s'installer. Je me tourne pour signaler à mon expert en informatique qu'il peut venir nous rejoindre. Il était resté près de la porte d'entrée. Je crois qu'il craignait qu'il y ait de la bataille. Je me dirige vers le bureau où se trouve l'ordinateur du président et j'envoie deux des huissiers dans le local de la comptabilité. En passant, j'entends Robert O'Connor gueuler à l'homme maigre : « Où sont mes enculés d'avocats ? »

Mardi 31 mai 2011
11 h 15

La saisie se déroule comme prévu. J'avais misé juste. Les gens de Nusta sont en pleine vérification diligente. Notre brusque intrusion a créé un véritable émoi et a déclenché un grand nombre d'appels téléphoniques. Deux avocats d'Oxcan ont fini par arriver. Ils formulent avec véhémence des objections pour chacun des documents trouvés afin d'en empêcher la consultation et la saisie. Cela facilite grandement mon travail, dont l'un des objectifs officieux est d'allonger le plus possible notre présence. Ils finissent par me faire bien paraître avec leur attitude querelleuse. Vincent accomplit son rôle avec sérieux et professionnalisme ; il se montre juste et impartial. Je remarque cependant par son langage non verbal que le comportement belliqueux des autres procureurs commence à l'ennuyer sérieusement. À côté de lui, ils ont l'air de gamins, malgré le fait qu'ils soient plus âgés. Non seulement parce que les deux ont une tête de moins que lui, mais surtout parce qu'ils sont loin d'afficher la même prestance et de détenir la même maîtrise du droit.

Un des huissiers tombe sur un mur de filières contenant des documents qui n'ont jamais été informatisés. Les dates inscrites sur les documents correspondent à la période durant laquelle ma cliente, Les Industries Normandin inc., faisait affaire avec Oxcan. Je jubile. Cela va prendre des heures, voire des jours, afin de passer au peigne fin tous les documents.

Mardi 31 mai 2011
13 h 20

Un homme, fin de la cinquantaine, se dirige vers notre groupe. En observant le comportement des deux avocats déjà présents, je comprends qu'il s'agit d'un avocat sénior de leur cabinet. Il se présente et m'indique qu'il voudrait discuter avec moi en privé. J'accepte et le suis dans un local adjacent.

— Maître Clermont, la saisie est inutilement longue.

— Vos collègues font des représentations pour chaque papier ou fichier trouvé. Si vous désirez accélérer le processus, la balle est dans votre camp, maître Perreault.

— N'avez-vous pas déjà tout ce qu'il vous faut, maître Clermont?

— Comment puis-je le savoir sans avoir préalablement tout vérifié?

Il ne s'agit pas tout à fait d'un mensonge. Je pense effectivement avoir mis la main sur toute l'information confidentielle de ma cliente. Par contre, il n'est pas faux de dire que je ne peux en être certaine à cent pour cent sans avoir examiné tous les documents de l'entreprise.

— C'est déraisonnable.

— J'ai une solution: nous embarquons tout le mur de filières.

— C'est hors de question.

— Je continue, alors.

— Vous causez un grave préjudice à ma cliente avec vos procédures abusives effectuées par un drôle de hasard en pleine vérification diligente.

— Un instant. Vous êtes très mal placé pour me faire la leçon. Je vous rappelle que c'est votre cliente qui poursuit la mienne. Ce n'est un secret pour personne que le mérite de l'action entreprise à l'encontre de ma cliente est très discutable. Vous savez quoi faire pour mettre fin aux procédures, maître Perreault, répliqué-je sur un ton sévère pour ensuite retourner à mon travail.

Mardi 31 mai 2011
13 h 47

Les huissiers finissent d'entasser les boîtes contenant les documents saisis dans leur fourgonnette. Quinze minutes après ma discussion avec Me Perreault, j'ai reçu un appel d'Yves St-Onge m'annonçant que le dossier était réglé et que je pouvais quitter les lieux. Les documents saisis resteront en possession du cabinet de Vincent jusqu'à ce que le tri soit effectué par les parties. Ma cliente pourra évidemment conserver ceux qui la concernent, et Oxcan s'est engagée à ne plus utiliser aucune information confidentielle. L'action principale a été réglée pour une poignée de dollars, et les parties se sont engagées à ne plus intenter de procédures l'une à l'encontre de l'autre. Les huissiers s'en vont. Il ne reste plus que Vincent et moi sur le trottoir.

— Bon travail, Vincent.

— Bon travail à toi aussi, tu as fait toute une *job* de bras !

Je lui offre de partager un taxi. En route vers le bureau, nous discutons en riant de notre journée, plus particulièrement du président O'Connor, qui était proche de l'anévrisme cérébral, et de son souffre-douleur, l'homme maigre. Lorsque nous arrivons à destination, je paie le taxi et cherche dans les poches exiguës de mon tailleur de la monnaie pour le pourboire. Je salue Vincent et fais un pas en direction des portes de l'édifice. Vincent reste sur place et me regarde :

— Sara, tu sais quand on s'est croisés, à la taverne, c'était quoi exactement l'histoire avec les policiers ?

me demande-t-il avec hésitation, ne pouvant néanmoins contenir sa curiosité.

Je suis absolument prise au dépourvu. J'avais complètement effacé de ma mémoire notre rencontre à ce moment peu propice. Je ne sais pas trop quoi lui répondre. Je n'ai aucune envie de partager ces détails gênants avec lui, spécialement le fait que j'ai placé des paons dans une position cochonne pour me moquer de mon patron.

À l'instant où j'ouvre la bouche pour formuler une explication maladroite, il me coupe en m'informant que quelque chose vient de tomber sur mes souliers. Il se penche et attrape un minuscule bout de tissu de dentelle fuchsia qui trône sur le dessus de ma chaussure. Il se relève et tend sa main vers moi. Vincent tient ma petite culotte ! Comment ce genre de chose peut-il m'arriver ? Comment ai-je pu oublier de l'enlever de la poche de ma veste après mon aventure avec Richard ? Et pourquoi a-t-elle glissé à ce moment bien précis ? Humiliation !

Je décide d'assumer pleinement la situation. Je lui enlève délicatement mon sous-vêtement des mains et lui dis sans sourciller, comme s'il s'agissait d'un épisode anodin de la vie courante :

— Cendrillon, c'était un soulier, moi, c'est une culotte.

Vincent me fixe, pantois. Je lui souhaite une excellente journée puis m'éclipse.

Mardi 31 mai 2011
14 h 45

Me Jean Rivest entre en trombe dans mon bureau. Il me somme de le suivre et m'informe que notre client, celui de l'ordonnance *Anton Piller*, nous attend dans la grande salle de conférences. Je fais un geste pour prendre mon cahier de notes, mais mon chef de secteur me mentionne que ce ne sera pas nécessaire. Arrivée dans la salle de conférences, je suis accueillie par M. Normandin, des Industries Normandin inc., un homme joufflu débordant de gaieté, qui me fait une énorme accolade. Il offre le même traitement à Me Jean Rivest, qui reste figé comme une tige. Yves St-Onge est déjà dans la salle et tient dans sa main une flûte de champagne. M. Normandin, accompagné de deux de ses employés clés, nous explique qu'il n'a jamais été aussi ravi et satisfait par le travail de ses avocats. Il nous sert à tous un champagne provenant de sa réserve personnelle. L'homme nous remercie de bon cœur et vante les mérites de chacun.

— Et que dire de cette jeune-là, qui combine vigueur et rigueur? dit-il à mon attention. C'est toute une relève que vous avez, une grande avocate!

— Oui, et savez-vous qu'elle a déjà pêché un espadon de sept pieds? ajoute mon chef de secteur.

5

Le vent dans les cheveux

Mardi 31 mai 2011
16 h 28

*L*a rencontre avec l'exubérant propriétaire des Industries Normandin inc. vient de se terminer. J'ai décidé de rentrer au condo ; inutile de tenter de travailler après trois verres de champagne. Je me regarde sourire dans la réflexion du miroir de l'ascenseur. Je suis très heureuse de la tournure des événements. Toutefois, je demeure consciente que rien n'est encore gagné.

Vendredi 3 juin 2011
14 h 37

J'attends dans l'embrasure de la porte du bureau de Marc-Olivier. Ce dernier vient de me téléphoner pour me demander d'aller le rejoindre concernant le dossier *Hôtel Price*. Pourtant, il est de nouveau au téléphone et m'ignore complètement. Je suis certaine qu'il me fait poireauter volontairement. J'en ai assez et décide de retourner à mon bureau.

— Sara, j'ai terminé, entre! me lance-t-il alors que je tournais les talons.

— Tu voulais me parler?

— Oui. Nous devons préparer un projet de défense dans le dossier *Hôtel Price*. Comme tu as classé les pièces, tu en possèdes une bonne connaissance. J'aimerais que tu me prépares une ébauche de défense. Ensuite, j'y apporterai mes corrections et améliorations pour que je puisse la présenter au client. J'ai besoin de ton ébauche pour lundi matin. Je rencontre le client ce jour-là à 15 h 30.

Non mais je rêve! Qu'est-ce qu'il s'imagine, celui-là? Que je vais écrire la défense pour qu'il puisse ensuite se l'approprier devant le client et les avocats associés? Il en est absolument hors de question. Pour lundi matin en plus, ça sent la revanche du « tigre ». Préparer une défense dans un dossier d'une telle complexité ne se fait pas en deux minutes. Il s'agit au contraire d'un travail laborieux. Je ne peux pas croire qu'il suppose que je vais accepter. Il pense que je serai la bonne petite Sara qui suit à la lettre les instructions des avocats associés – qui m'ont demandé de le seconder – et qui fait passer les intérêts de tous avant les siens. Plus maintenant! De surcroît, je suis persuadée qu'il s'est mis dans une situation délicate. Il a attendu la dernière minute pour préparer la défense et vient de se rendre compte de l'ampleur du dossier. J'ouvre la bouche pour l'envoyer paître, mais me ravise. « Très bien, Marc-Olivier, mon ébauche sera prête pour lundi matin », dis-je avec un sourire angélique.

J'ai un plan.

Lundi 6 juin 2011
10 h 22

Je marche devant le grand miroir de la boutique en examinant les magnifiques sandales à talons hauts dont je fais l'essai. Bleu acier, belle cambrure, s'attachant autour de la cheville ; elles sont superbes. J'ai travaillé d'arrache-pied tout le week-end sur la défense. Encore une fois, j'étais seule au bureau. J'espère que le client sera satisfait du résultat. J'ai pris la décision de ne pas la remettre à Marc-Olivier. Je lui ai plutôt transmis un bref courriel lui mentionnant que j'ai rencontré un léger bogue informatique et que j'arriverai plus tard avec la défense. J'ai bien pris soin d'effacer la copie électronique qui se retrouve automatiquement sur le réseau du cabinet. J'ai la ferme intention de présenter cette défense moi-même au client, à 15 h 30. En attendant, j'évite le bureau. J'en profite pour faire du *shopping*.

Lundi 6 juin 2011
15 h 32

J'ouvre la porte de la salle de conférences. Le visage inquiet de Marc-Olivier s'éclaircit. Il m'a envoyé une quinzaine de courriels et a inondé ma boîte vocale de messages. Il voulait savoir ce qu'il en était de sa précieuse défense. Je me suis contentée de ne répondre que par un message laconique selon lequel j'avais subi un contretemps, mais que je lui apporterais la défense au plus tard au début de la rencontre. J'aperçois Me St-Onge et Me Lambert assis ses côtés. Je ne m'attendais pas à ce que ce dernier assiste à la réunion. Je me convaincs que cela ne change en rien mes plans. Marc-Olivier fait mine de se lever. Il s'attend à ce que je lui remette la défense et que je sorte, n'ayant pas été invitée à la rencontre. Ce n'est pas ce que j'entends faire. Je me dirige vers M. Price et lui serre chaleureusement la main. Au lieu de remettre les documents à Marc-Olivier, je m'assois dans le fauteuil adjacent à celui de M. Price. Je distribue à chaque personne une copie de la défense.

Marc-Olivier affiche un air des plus contrariés. Je remarque qu'il cherche quelque chose à dire pour reprendre le contrôle de la situation. Je ne lui en laisse pas le temps et commence immédiatement à expliquer les détails de la stratégie au soutien de ma défense. J'invite ensuite chacun à prendre connaissance de la procédure, soulignant par le fait même qu'il s'agit d'une première lecture pour Marc-Olivier. Le silence qui s'ensuit semble durer une éternité. J'ai de la difficulté à supporter le suspense. Il est possible que je frappe un mur.

— Très impressionnant, cette défense, finit par annoncer M. Price. Je vois que vous avez une très bonne connaissance du dossier et que vous le dirigez exactement comme je l'envisageais.

— Je suis bien heureuse de constater que nous avons une vision similaire, réponds-je avec un soulagement presque orgasmique. Mais vous savez, monsieur Price, votre commentaire n'a rien d'étonnant. C'est exactement ce à quoi on peut s'attendre lorsque des avocats comme Me Lambert et Me St-Onge gèrent un dossier. Ce sont des sommités dans le domaine du litige construction. Vous êtes entre de bonnes mains.

Je veux absolument donner du crédit à Me Lambert et à Me St-Onge aux yeux du client afin de m'assurer leur appui. Je constate que Me Lambert a très bien pris le compliment alors que Me St-Onge affiche un petit sourire amusé. Pour ce qui est de Marc-Olivier, il me paraît complètement dépassé par la situation. Il s'agite sur sa chaise.

— Marc-Olivier, je sais que tu voulais apporter tes commentaires sur la défense. Y a-t-il des modifications ou des suggestions dont tu voudrais nous faire part? lui demandé-je en sachant pertinemment qu'il n'est nullement en position de répondre.

— Non, non…

Le reste de la réunion se déroule très bien et j'ai pu retrouver la place qui me revenait dans la conduite du dossier. Me Lambert agit comme si cela avait toujours été. Je devrai apporter certaines modifications techniques à la défense, à la demande du client, et c'est moi qui rédigerai le plan d'argumentation. La rencontre prend fin. Marc-Olivier part en premier. Il est suivi de Me Lambert et de M. Price, qui discutent maintenant de golf. Yves me tend sa copie de la défense avec ses corrections inscrites dans la marge.

— Bon travail, Sara. La prochaine fois, tu me soumets la procédure *avant* de la présenter au client, me dit-il sur un ton sévère.

— Oui, Yves, réponds-je immédiatement en baissant la tête comme une enfant ayant mal agi.

Lundi 6 juin 2011
16 h 51

Marc-Olivier entre dans mon bureau et referme la porte derrière lui. Il n'est pas content. Il fulmine.

— C'est quoi, ces coups en bas de la ceinture ? Ton comportement manque totalement d'éthique et de professionnalisme. Tu vas le regretter ! tonne-t-il en s'approchant de moi.

— Qu'est-ce que tu vas faire au juste, Marc-Olivier ? dis-je en me levant et en gardant mon sang-froid. Tu vas me dénigrer devant les associés en mentant à mon sujet et tenter de voler mes mandats ? Oh, mais c'est déjà fait, et finalement les choses ne se déroulent pas comme tu l'avais prévu ? Tu vois, tu n'es vraiment pas dans une position pour me faire la morale.

— Je n'ai jamais…

— Arrête ! Tu sais très bien ce que tu as fait. Occupe-toi de tes affaires et je vais m'occuper des miennes. D'accord ?

Marc-Olivier me toise du regard. Furieux, il tourne brusquement les talons, quitte mon bureau et claque la porte avec force. Je crois bien qu'il ne se retrouvera plus sur mon chemin, celui-là.

Mardi 7 juin 2011
19 h 58

Des larmes coulent sur les joues de Marie, qui ne peut contenir son fou rire. Je viens de raconter aux filles mon histoire de petite culotte avec Vincent Langelier.

— Quand tu nous as parlé de ta jupe décousue, je me disais qu'il n'y avait rien de plus humiliant. Je me suis trompée, perdre un string l'est encore plus! glousse Marie.

— Que veux-tu, Marie, je ne peux m'empêcher de me surpasser…

— Je ne peux pas croire qu'il tenait ta culotte dans sa main, dit Élise, qui n'en revient pas. Je ne sais pas comment tu as fait pour rester aussi calme. C'est certain que j'aurais nié fermement qu'elle m'appartenait.

— Il était hors de question que je l'abandonne; je l'ai payée 56 dollars!

— Tu paies tes strings 56 dollars? s'étonne Élise.

— D'ordinaire, non. Je l'avais acheté avec un ensemble de lingerie qui m'avait coûté plusieurs centaines de dollars. Je voulais faire une surprise à Philippe. Une autre de mes tentatives de rapprochement ratées…

— Et tu portes souvent sous tes tailleurs de luxueux ensembles de lingerie? s'amuse Marie, qui rit toujours.

— Juste la petite culotte, histoire de la rentabiliser…

Comme je suis heureuse d'avoir retrouvé mes amies. Nous soupons toutes les trois chez Marie. Elles m'ont raconté leur voyage sur la Côte d'Azur, et moi mon escapade avec Richard. Élise n'a pas fait de rencontre marquante, alors que Marie reçoit en rafale de longues complaintes amoureuses de la part d'un pauvre Français éploré qui la relance toutes les quinze minutes par les réseaux sociaux.

Mes deux amies sont célibataires, pour des raisons totalement différentes. Marie aime beaucoup trop batifoler, elle ne s'attache que très rarement. Elle m'a déjà confié qu'elle craignait de ne pas posséder cette capacité qu'ont les gens de vraiment devenir amoureux.

Au contraire, quand Élise est amoureuse, elle l'est éperdument et profondément. Mais elle a le vilain défaut de toujours s'enticher de la mauvaise personne. De plus, elle aime pour longtemps. Il est facile pour un homme ambivalent de la faire littéralement courir pendant plusieurs années. Elle s'amuse souvent à nous raconter avec grande ironie qu'elle n'affectionne que les hommes désagréables et méchants. Élise me demande si je vais revoir Richard.

— Il m'a invitée à Dubaï…

— Destination voyage intéressante ! s'exclame Marie.

— Je ne pense pas que je vais y aller.

— Ah non ? interroge Élise.

— C'est un peu loin pour une courte escapade, et je vous rappelle que je n'ai plus de semaines de vacances en banque. Ce n'est pas seulement ça. Il faut prendre ma relation avec Richard pour ce qu'elle est : une aventure. Je tiens à en garder un bon souvenir. Je ne veux pas risquer de m'attacher à une personne comme lui. Vous imaginez ? Être en amour avec un homme qui est toujours parti ?

— C'est à éviter ! mentionne Élise en connaissance de cause.

— Et je trouve qu'il est un peu trop vieux…

— Tu ne nous as pas expliqué que cela comportait un gros avantage ? dit Marie en bougeant ses sourcils de haut en bas.

— Je ne peux tout de même pas choisir mon partenaire de vie en me basant seulement sur la qualité de mes orgasmes, non ?

Mes amies me regardent, pas très convaincues par ma dernière réplique. Nous pouffons de rire. Je leur décris ensuite de manière très imagée ma saisie de type *Anton Piller*, comment j'ai pu reprendre mon mandat dans le dossier de l'*Hôtel Price* et la déconfiture de Marc-Olivier.

— On ne pourra jamais dire qu'il ne l'avait pas cherché, celui-là ! s'exclame Élise.

— C'est vrai. Il était temps que je me défende. Mais je me sens quand même un peu mal. J'aurais préféré ne pas avoir à faire ça. Est-ce que je peux trouver mon compte dans ma profession sans avoir à égorger la compétition ?

— Non, non. Tu t'es juste défendue ; c'est lui qui essayait de t'égorger ! Tu as bien fait de le remettre à sa place. En plus, ça va le soulager de son problème de grosse tête ! Dans le fond, c'était pour son bien, dit Marie en rigolant.

— Il s'agit d'un équilibre, avance Élise. Il faut travailler avec l'objectif de faire rayonner sa propre personne et son équipe sans intention de nuire. Toutefois, si quelqu'un, tel que ce rat de Marc-Olivier, essaie volontairement de nous faire du tort, il faut savoir se montrer redoutable.

Sur ces paroles très sages, Élise me demande en plaisantant : « Marc-Olivier, il est célibataire ? » Tout en riant, Marie et moi la huons en lui lançant des morceaux de pain.

Vendredi 10 juin 2011
13 h 42

Je viens de finir de dîner en compagnie de deux juniors de mon bureau, Étienne et Geneviève, qui pratiquent en droit du travail. Ils sont tous deux très sympathiques et agréables. Je trouve dommage que nous ne soyons pas dans le même secteur. Aussi, j'envie leur relation. Ils sont de très bons amis, se font mutuellement confiance et peuvent compter l'un sur l'autre; tout le contraire de Marc-Olivier et moi.

Nous avons profité de ce lunch pour nous raconter avec éclat nos dernières bourdes, moi à la cour et eux en arbitrage. Le potentiel de situations embarrassantes et hasardeuses est très élevé chez les jeunes avocats, au début de leur carrière. Un dossier délégué à la dernière minute, un juge ou un arbitre sans pitié, un adversaire enragé et la table est mise pour un épisode très pénible. Nous quittons la grande terrasse bien aménagée du restaurant du Vieux-Montréal que nous avions choisi. J'aperçois, un coin de rue plus bas, un policier en uniforme. Je l'observe plus attentivement. C'est Samuel. J'avise mes collègues de rentrer sans moi et me dirige vers lui.

— Bonjour, Samuel.

— Sara Clermont! me dit-il en me décochant un splendide sourire. Je suis content de te revoir.

— Moi aussi! Je voulais absolument te dire que j'ai définitivement renoncé à mener une vie dans la criminalité. C'est en grande partie grâce à toi.

— C'est exactement le genre de témoignage qui justifie mon choix de carrière, me répond-il afin de relancer ma blague. Tu ne m'as pas téléphoné.

Je ne m'attendais pas à ce qu'il soit aussi direct à ce sujet. Je regarde ses grands yeux scintillants. Ils ont quelque chose de particulier, quelque chose de tendre. Oui, c'est ça, je perçois de la bonté au fond d'eux. La bienveillance qui se dégage de son regard apporte un charme irrésistible à sa beauté physique.

— J'aurais dû, finis-je par répondre. Je ne sais pas pourquoi j'ai remis mon projet de te téléphoner *sine die*[6].

— *Sine die?*

— Excuse-moi, c'est du jargon d'avocats qui veut dire remettre à plus tard, sans date précise.

---

6. « Sans jour. » Locution latine signifiant « sans date précise ».

— C'est du latin?

— Oui. Oublie ça, c'est sans intérêt. Je crois que tu me rends nerveuse, avoué-je à Samuel, qui semble s'amuser de me voir patiner un peu.

— Pourquoi on n'en profiterait pas pour planifier quelque chose maintenant? me demande-t-il tout en ouvrant la porte d'une boutique afin d'aider une femme ayant une poussette, dans un geste totalement naturel et automatique.

— D'accord, que proposes-tu?

— On pourrait aller boire un verre demain?

— On en a déjà pris plusieurs la dernière fois…

— On peut aller au restaurant! C'est moi qui t'invite, pour compenser pour les bières! Je connais un restaurant italien qui fait les meilleurs *fettuccine alla Gigi* en ville. Bon, peut-être pas les meilleurs, parce que rien ne peut battre ceux que je cuisine, ajoute-t-il à la blague. Qu'en penses-tu?

— S'ils sont les meilleurs, je préfère essayer *tes* fettuccine, m'entends-je dire.

— Chez moi? me demande-t-il avec une pointe d'incrédulité dans la voix.

— Oui… Ça ne se fait pas? Je t'avais averti que tu me rendais nerveuse…

— Mais oui, avec plaisir! Et moi qui osais à peine t'inviter au restaurant! me dit-il en affichant le plus beau des sourires.

— Tu habites Montréal? demandé-je après avoir enfin pris un peu de temps pour réfléchir – je ne veux tout de même pas m'inviter chez une personne que je ne connais pas beaucoup et qui habite à une heure et demie de Montréal.

— Oui, dans la Petite Italie.

— Un de mes quartiers favoris!

— Donc, demain, chez moi, à 19 heures. Je te redonne mon numéro de téléphone et j'ajoute mon adresse, me dit-il avec entrain en me tendant sa carte. N'apporte rien, je m'occupe de tout!

Samedi 11 juin 2011
18 h 07

— Quoi! Tu t'es invitée chez lui? Pour une fille qui n'était pas prête! s'exclame Élise alors que je regarde ma silhouette dans le miroir.

Je viens d'enfiler une robe portefeuille noire toute simple qui s'ajuste avec une ceinture à la taille. Il s'agit d'un de mes vêtements préférés. Cette robe légère et sans artifice offre un décolleté plongeant, me fait une toute petite taille et met mes jambes en évidence. J'essaie plusieurs paires de chaussures. Mon choix s'arrête sur l'une d'elles, en cuir noir à talons aiguilles très hauts et dont le bout est ouvert.

— Je ne sais pas ce qui m'a pris, vraiment. Que penses-tu de ces souliers avec ma robe?

— Magnifique! Tu es une vraie bombe. Je suis heureuse pour toi. Tu ne te laisses pas abattre pendant des mois comme moi, après une rupture amoureuse.

— C'est parce que c'était terminé depuis longtemps avec Philippe. Je ne voulais pas me l'admettre. Et attends donc à demain pour être heureuse pour moi, si je te dis que j'ai passé une bonne soirée. Je risque de trouver le temps long, seule avec Samuel dans son appartement, advenant que le rendez-vous ne se déroule pas bien.

— Avec la description que Marie m'a faite de ton policier, la soirée ne peut que bien se dérouler! me dit Élise avec un regard rempli de sous-entendus.

Samedi 11 juin 2011
19 h 04

Samuel fait le tour de son appartement avec moi. Il porte une chemise ajustée grise, dont les manches sont repliées sur ses avant-bras, et une paire de jeans légèrement délavée. Il est absolument splendide. Plus tôt, il m'a ouvert la porte en m'offrant son magnifique sourire.

Pour un instant, j'ai eu de la difficulté à croire que j'avais réellement rendez-vous avec un si bel homme.

L'appartement de Samuel est situé au deuxième étage d'un triplex. Le logement, un quatre et demi, est spacieux, très éclairé et peinturé tout de blanc avec de hauts plafonds encore garnis de leurs moulures d'origine. Samuel ne semble pas du genre à se laisser traîner, ou alors il a fait un grand ménage avant mon arrivée. La décoration est simple et masculine. Je souris devant l'affiche encadrée du film *Le Bon, la Brute et le Truand* ornant le mur de la salle à manger. Un policier qui aime les cow-boys, je ne suis pas très étonnée… Samuel termine de me faire visiter et me raconte que cela va bientôt faire quatre ans qu'il habite ici. Il est en amour avec le quartier et adore par-dessus tout faire ses courses à pied au Marché Jean-Talon.

J'observe Samuel finir gaiement et en vitesse les derniers préparatifs du souper. Il sort une bouteille de vin de son réfrigérateur et sert deux verres. Il m'en tend un en m'adressant un autre magnifique sourire, toujours accompagné de ce regard à faire fondre les glaciers.

Mon attention se pose sur son cou, sur sa peau, sur ses mains, sur ses lèvres. Une sensation intense et chaude s'empare de moi. Je désire ardemment Samuel. Je m'approche de lui, prends le verre, le dépose sur le comptoir. Puis je l'embrasse. Il répond avec fougue. Nous nous déshabillons dans la cuisine avec enthousiasme. Samuel me soulève comme si je ne pesais qu'une plume et me porte telle une jeune mariée vers sa chambre à coucher.

Dimanche 12 juin 2011
8 h 12

Un mince rayon de soleil fait briller le nez de Samuel. Il dort profondément, comme un enfant. La nuit fut très agréable. Élise pourra être heureuse pour moi. Samuel est un bon amant. Il est très attentionné et fait preuve d'une vigueur et d'une vitalité débordantes. Avec lui, tout se fait dans la bonne humeur ; l'amour, les repas et l'amour encore. Comme dans son regard, de la tendresse se glisse dans tous ses mouvements.

Je regarde l'heure. J'ai faim. Je me rappelle avoir remarqué une boulangerie à quelques pas de son appartement. Je me glisse doucement hors du lit, attrape mes vêtements et quitte le logement. La température est douce et la brise m'enchante. J'entre dans la boulangerie. L'odeur de pain sucré et de café me ravit. Je réalise soudain mon état d'allégresse. J'ai envie de gâter Samuel et j'achète une panoplie de viennoiseries, des cannolis – pour déjeuner, pourquoi pas ? Après tout, Samuel m'a confié qu'il s'agissait de ses pâtisseries favorites –, une miche de pain, des fromages et deux cafés au lait. De retour à l'appartement, je passe l'embrasure de la porte de chambre de Samuel avec mes achats. Il est étendu dans le lit et fixe le plafond, les bras croisés derrière la tête. Son visage s'éclaircit lorsqu'il m'aperçoit. Il se redresse :

— Je croyais que tu t'étais enfuie comme une voleuse.

— Je ne tenterais jamais ça avec un policier, dis-je à la blague. J'ai été chercher à déjeuner.

Je reprends ma place à ses côtés. Samuel s'amuse de la trop grande quantité de nourriture. Il avale goulûment une gorgée de café, un morceau de chocolatine, deux bouchées de cannoli, se tourne vers moi et m'embrasse. Nous refaisons l'amour et mangeons par la suite. Tant pis pour le café froid.

Dimanche 12 juin 2011
9 h 43

Je retouche mon maquillage dans la petite salle de bain. Je range mon mascara dans mon sac à main et vais rejoindre Samuel à la cuisine. Il parle au téléphone. Je l'entends raconter avec véhémence que son « cochon » battra sans l'ombre d'un doute le « cochon » de son interlocuteur. Samuel termine son appel et je le regarde, perplexe. Il m'explique alors que lui et plusieurs collègues policiers participent chaque année à une course de cochons qui a lieu à l'occasion d'une foire agricole des Cantons-de-l'Est. Chaque policier choisit une bête munie d'un numéro sur laquelle il mise un gros 5 dollars. La course est ensuite suivie d'une épreuve de rodéo à laquelle Samuel participe. Il ne s'agit pas de rodéo sur un taureau, mais sur un petit âne. Samuel est arrivé troisième l'année passée et compte bien rafler la première place, cette fois. Je trouve l'activité des policiers très amusante et avance à la blague que j'aimerais bien le voir se débattre sur un pauvre âne.

— Pourquoi tu ne viens pas avec moi? C'est une grosse foire avec beaucoup d'activités.

— Mais non, je vais te laisser avec tes collègues.

— Invite tes amies, Marie et ta coloc!

— On ne va pas se sentir de trop?

— Pas du tout. La majorité des participants invitent leur conjoint, leurs enfants ou leurs amis pour les encourager. Ceux qui sont célibataires seront très heureux que tu viennes avec les filles. Castonguay me parle encore de Marie…

— C'est à quelle heure?

— Je pensais partir de Montréal vers 13 heures. Je peux aller te prendre chez toi avec tes amies. Vous n'aurez qu'à vous laisser conduire. Tu vas voir, c'est super sympathique. Il y a de nombreux stands offrant des petits plats maison et des dégustations de bières et de cidres artisanaux.

— Une course de cochons… un policier sur un âne… C'est vrai que c'est plutôt tentant…

— Et tu ne peux pas manquer le concours de la plus grosse tarte aux pommes! insiste-t-il.

— Dans ce cas-là, je vais en parler aux filles!

144

Dimanche 12 juin 2011
20 h 58

Les filles ne furent pas difficiles à convaincre. Élise m'a d'abord regardée comme si j'avais été enlevée par des extraterrestres lorsque je lui ai proposé l'activité. Toutefois, elle a instantanément accepté l'invitation quand je lui ai mentionné la présence de plusieurs collègues et amis célibataires de Samuel. Marie a eu la même réaction. Nous n'avons regretté en rien notre escapade à la campagne.

Nous avons ri toutes les trois comme de véritables gamines lors de la course de cochons. Les amis de Samuel ont été d'une gentillesse remarquable et accordaient beaucoup d'attention à Marie et Élise. Nous avons mangé des hot-dogs au sanglier tout en encourageant bruyamment les participants du rodéo. Accompagnées des conjointes de certains d'entre eux, nous avons ri aux larmes devant les déboires des cow-boys d'un jour. L'alcool aidait certainement. La très sympathique épouse d'un policier avait eu l'initiative d'acheter une bouteille de cidre de glace à un marchand de la foire et l'a partagée avec nous.

Samuel a gagné son pari et remporté la première place. Heureux de sa victoire, il a fait le tour de l'enclos les bras en l'air, est arrivé à ma hauteur, m'a attirée contre lui et, à ma grande surprise, m'a entraînée dans l'enclos pour m'embrasser.

Nous sommes maintenant en route vers Montréal. Les fenêtres de la voiture sont ouvertes en raison de la très forte odeur qui se dégage de Samuel. Un mélange de parfum de bête, de purin et d'homme qui a travaillé trop fort. Au début du voyage de retour, l'odeur avait davantage incommodé Samuel, embarrassé, que nous trois qui trouvions la situation très amusante.

J'aperçois le centre-ville de Montréal du haut du pont Champlain. J'adore cette vue. Samuel glisse sa main sur ma cuisse, près de mon genou. Ce geste tendre réservé habituellement aux couples me fait un drôle d'effet. Je me raidis. C'est rapide. J'ai l'impression qu'hier encore Philippe mettait sa main au même endroit. Je me tourne vers Samuel. Il m'envoie un regard ravi. Je me détends et décide de ne plus me poser de questions.

Lundi 13 juin 2011
10 h 11

J'ai bien peur que les deux confrères qui plaident devant le juge de la cour de pratique en viennent bientôt à se griffer. Je suis au palais de justice et j'attends mon tour afin de passer devant le juge pour débattre d'une requête préliminaire dans un petit dossier. Il n'y a qu'un autre dossier entre le mien et celui des deux avocats qui jouent à qui est le plus outré devant un juge qui affiche une expression blasée. Le juge sermonne maintenant les deux opposants. Un homme me tape sur l'épaule. Il porte une grosse moustache grise mal taillée et des vêtements négligés. Au premier regard, je me doute qu'il ne s'agit pas d'un avocat, mais probablement d'une personne se représentant seule. Il me montre un document fripé et me demande ce qu'il doit faire. Je prends rapidement connaissance du document. Il s'agit d'une requête de la partie adverse afin de le forcer à se constituer un nouveau procureur et à transmettre des engagements sous sanction du rejet de sa poursuite. Je fais de mon mieux pour lui donner à voix basse les explications les plus claires possibles dans les circonstances. Le greffier nomme un dossier, *Thomas Bergeron c. Haydas Corp.* L'homme à mes côtés se lève.

Évidemment, il est confus devant le juge et l'avocat de la partie adverse. Le juge explique qu'il va devoir rejeter le recours. M. Bergeron demande de faire une pause. Il se dirige vers moi et me prie de le suivre dans le corridor. C'est bien ce qu'il me fallait ce matin, être impliquée dans un dossier qui ne me concerne pas. Il me demande ce que sont des « engagements ».

— Monsieur Bergeron, avez-vous subi un interrogatoire hors cour ?

— Oui, j'étais alors représenté par mon ancien avocat, une vraie crapule.

— D'accord. Lors de votre interrogatoire, vous êtes-vous engagé à transmettre certains documents ?

— Oui…

— Est-ce vrai que vous vous étiez engagé à les transmettre il y a plus d'un an ?

— J'ai tout mis dans une boîte que j'ai remise à mon ancien avocat.

— Les engagements n'ont pas été transmis et l'autre partie est en droit de demander le rejet de votre demande. Avez-vous conservé les originaux ?

— Oui.

— Voulez-vous être représenté par un avocat ou voulez-vous vous représenter vous-même ?

— Je vais me représenter moi-même, même si je commence à penser que c'est une mauvaise idée. De toute façon, mes expériences avec les avocats ne sont pas très bonnes. Mon premier n'était qu'un bon à rien et les autres que j'ai rencontrés n'ont pas voulu de mon dossier.

— Dans ce cas, vous allez mentionner au juge que vous vous représentez seul. Ensuite, vous allez lui expliquer que vous pensiez que votre ancien avocat avait transmis les engagements et que vous ne compreniez pas la nature des requêtes à ce sujet. Maintenant que vous êtes éclairé, engagez-vous devant le juge à transmettre les documents d'ici à quelques jours.

— Merci, me dit-il en me serrant chaleureusement la main.

— Un dernier conseil, vous devriez tenter de vous trouver un avocat.

— Je vais y penser. Il me reste quelques semaines avant le début du procès.

— Bonne chance, alors.

Thomas Bergeron réussit à empêcher le rejet de sa poursuite. Les juges se montrent toujours plus cléments envers les personnes qui se représentent seules. M. Bergeron me lance un merci silencieux avec de grands signes de la main avant de quitter la salle de cour. Bon, c'est enfin mon tour.

Mercredi 15 juin 2011
10 h 11

La réceptionniste, Hélène, m'indique au téléphone qu'il y a quelqu'un qui veut me voir. Je me dirige vers le hall d'entrée de mon bureau, près des ascenseurs, et entends un homme s'exprimer dans un franc-parler. Cette voix me dit quelque chose. Thomas Bergeron, appuyé avec désinvolture sur le comptoir de la réception, fait la discussion à Hélène. Il tient dans une main une mallette en cuir usée pleine à craquer. Lorsque je lui ai suggéré de retenir les services d'un avocat, je ne voulais pas dire de retenir *mes* services. Je lui serre la main et m'enquiers des raisons de sa présence. Il me répond d'une grosse voix qu'il suit mon conseil. Je vérifie avec Hélène la disponibilité des salles de conférences. Je dirige M. Bergeron vers celle qui m'est indiquée par la réceptionniste. Le dossier est dans un état pire que je n'aurais pu l'imaginer. Une chose est certaine, l'homme dit vrai lorsqu'il traite son ancien avocat de bon à rien. Thomas Bergeron poursuit son ancien employeur pour une somme de 750 000 dollars. Sa requête introductive d'instance est très mal rédigée, beaucoup trop émotive et comporte des erreurs de droit. Pour ce qui est de la partie adverse, Haydas, sa défense ainsi que toutes les autres procédures et pièces sont impeccables. J'aperçois le nom de Vincent Langelier un peu partout. C'est son bureau qui représente Haydas; rien pour aider M. Bergeron.

Je lui demande de m'expliquer dans ses mots la nature de sa poursuite. Il me raconte qu'il travaillait à son compte sur la mise au point d'un système rotatif à billes hyperléger destiné à de la machinerie lourde. Ce système devait permettre une grande économie d'énergie et une meilleure performance.

Il a été approché par Haydas, une multinationale spécialisée dans la fabrication de voitures, de camions et de machineries lourdes, qui était intéressée à acheter son système. Puisque des ajustements étaient nécessaires afin d'adapter le système à la machinerie spécifique vendue par Haydas, celle-ci a offert à M. Bergeron d'aller continuer son travail au sein de l'entreprise. Après un an, Haydas l'a licencié. Selon ses dires, Haydas aurait intégré son système dans la machinerie vendue. Avant de l'embaucher, Haydas lui avait offert 750 000 dollars pour faire l'acquisition de son système. Haydas ne lui a finalement versé que 65 000 dollars, en salaires. La version des faits de la compagnie est que le système finalement retenu n'est pas le même que celui de M. Bergeron.

— Écoutez, je ne suis pas une spécialiste en propriété intellectuelle, mais pour protéger une invention de ce genre il faut avoir préalablement obtenu un brevet, ce qui nécessite l'accomplissement de formalités strictes.

— Je sais. Je n'avais pas d'argent pour aller chercher un maudit brevet. Sans parler des délais. Mais je ne suis pas fou. J'ai signé un contrat avec les gens de Haydas. Dans le contrat, ils me payaient 65 000 dollars par année pour aller travailler chez eux afin d'adapter mon système à leur technologie et, par la suite, un pour cent des ventes de la machinerie utilisant ce système. Ils ne respectent rien. Ils m'ont renvoyé sous prétexte de conflit de personnalité et ils utilisent maintenant mon système sans me donner une cenne. Ils disent que ce n'est pas le même. *Bullshit!* Ils l'ont peinturé, c'est tout!

— Ce ne sera pas une preuve facile…

— Oui, c'est facile! Ça se voit à l'œil nu que c'est le même système! Un enfant de quatre ans serait capable de le voir!

— Bon, écoutez. Je vais analyser davantage le dossier et m'assurer qu'il n'y a pas de conflit d'intérêts à ce que mon cabinet agisse pour vous. Mais c'est bien clair, je ne vous promets rien. Votre dossier m'arrive à la dernière minute. De plus, je vais devoir vous demander une avance pour mes honoraires, vous pourrez me la verser plus tard, si j'accepte votre mandat.

— C'est un autre problème. Je n'ai pas d'argent. Je vis présentement chez mon frère. J'ai travaillé cinq ans sur ce sacré système. J'avais laissé mon emploi comme ingénieur dans une grosse firme, tellement j'étais certain de mon coup. Il ne me reste plus rien. Vous ne pouvez pas prendre le dossier à pourcentage?

— Ça risque d'être très difficile. Mon cabinet n'a pas pour politique d'accepter les dossiers à pourcentage.

— La seule affaire que je veux, c'est qu'un juge dise que j'ai raison, qu'ils m'ont volé mon système. Je suis même prêt à vous donner le dossier à cinquante pour cent!

— Je ne suis pas en train de négocier un pourcentage. Ce n'est pas ça, l'enjeu. De toute façon, la norme est de trente pour cent, et c'est ce que nous demandons dans les rares cas où nous acceptons ce type de dossier. Je vais faire une copie des documents que vous avez apportés et je vous rappelle demain.

Mercredi 15 juin 2011
13 h 26

Je suis plongée depuis deux heures dans le dossier de Thomas Bergeron. Sa cause est peut-être très mal partie, mais elle n'est pas sans mérite. Je lis les interrogatoires et les expertises. Les experts de Haydas expliquent le détail des modifications apportées au système de M. Bergeron. Selon eux, ce ne serait plus son invention mais un nouveau système amélioré. Système amélioré…

Je retourne lire les clauses du contrat entre Thomas Bergeron et Haydas. Il y est bien stipulé que M. Bergeron touchera un pour cent des ventes de toutes les machineries intégrant son système ou une partie importante de celui-ci. Hum… Un système « amélioré » comporte nécessairement une partie importante de l'ancien système. Je prends ensuite connaissance des chiffres provenant de Haydas. Impressionnant ! Ils ont vendu dans le monde 5 489 machines utilisant le système litigieux, pour un montant total de 686 125 000 dollars. Je retourne aux sommes réclamées dans la requête de Thomas Bergeron, 750 000 dollars. Pour une raison qui m'échappe, son ancien procureur a choisi de réclamer la somme offerte par Haydas avant la signature de leur contrat. Si je me réfère audit contrat signé par la suite, mon client serait plutôt en droit de réclamer 6 861 250 dollars, soit un pour cent des ventes. C'est une grave erreur, d'autant plus que l'argument le plus solide au soutien de sa poursuite est que Haydas n'a pas respecté le fameux contrat.

Je remarque également qu'un avocat d'un autre bureau a agi par la suite pour M. Bergeron. C'est lui qui a interrogé les représentants de la défenderesse et qui a obtenu les chiffres de Haydas. Je déniche le numéro de l'avocat en question et l'appelle. Il s'agit d'un confrère que j'ai croisé à quelques reprises au palais de justice. Après les politesses d'usage, je lui demande les raisons l'ayant poussé à cesser d'occuper pour Thomas Bergeron. Il m'explique vivement et sans se faire prier que ce client est un véritable cauchemar. Il ne collaborait pas du tout avec ses avocats, se montrait intransigeant, voire bourru. Il refusait obstinément de suivre leurs conseils et ne voulait mener le dossier qu'à sa façon. Lors des interrogatoires des représentants de la partie adverse, il a fait preuve d'une arrogance et d'un comportement inacceptables. De plus, il le contactait sans relâche au bureau, plus d'une dizaine de fois par jour, pour s'assurer que le dossier était mené à sa manière. Je lui ai fait part de la requête mal rédigée, des 750 000 dollars et de la nécessité d'apporter un amendement. Il m'a répondu qu'ils étaient en cours de processus pour amender la requête rédigée par l'avocat précédent pour y apporter des modifications importantes. Malheureusement, ils n'ont jamais été en mesure de s'entendre avec Thomas Bergeron sur le contenu de l'amendement. Devant l'impasse, ils ont pris la décision de cesser de le représenter, malgré le fait qu'ils avaient accepté de prendre le dossier à pourcentage et qu'ils perdaient ainsi le temps investi. Je remercie mon confrère et dépose le combiné du téléphone. Je demeure songeuse pendant quelques minutes. Je décide de travailler sur un autre mandat et de reporter ma décision à plus tard.

Mercredi 15 juin 2011
18 h 17

Je reçois un message texte de Samuel, qui me demande si je suis encore au bureau. Je lui réponds oui. Il m'écrit de descendre de la tour. Intriguée, j'éteins mon ordinateur et quitte le bureau. À peine sortie à l'extérieur, j'aperçois Samuel, en civil, qui m'attend appuyé à une grosse motocyclette sport noire.

Je remarque les regards languissants que lui lancent un groupe de femmes qui passent à ses côtés. Je m'approche avec un sourire amusé. Il m'explique qu'il est venu me chercher et qu'il m'emmène souper à son restaurant préféré. Il me tend un casque. J'observe avec appréhension le siège de la motocyclette. Il me semble périlleux de monter sur l'engin en jupe et en talons hauts. Samuel me dit que je m'en fais pour des détails. Je me lance et me hisse derrière lui. Je prends rapidement plaisir à la route. Nous empruntons le pont Champlain et quittons Montréal.

Après avoir longé plusieurs routes de campagne, Samuel bifurque sur un petit chemin de terre pour s'arrêter en face d'une jolie auberge champêtre. Il m'entraîne à l'intérieur. Chacun des membres du personnel vient le saluer en l'appelant par son prénom ; c'est assurément un habitué de l'endroit. Nous traversons l'auberge à la suite d'une hôtesse qui nous dirige vers une petite table, sur la véranda. C'est de toute beauté. La véranda, qui se trouve à l'ombre de grands et majestueux arbres, donne sur un lac scintillant. Un homme s'approche de Samuel et lui fait une grande accolade. Il s'agit de son oncle, le propriétaire de l'auberge. C'est un homme bedonnant, chauve et très chaleureux qui m'assure que je ne regretterai pas mon expérience. La soirée est merveilleuse, le repas est délicieux et le personnel nous traite avec soin. Je me sens bien avec Samuel. Sa joie de vivre est contagieuse et il a cette simplicité qu'ont les gens qui sont bien dans leur peau.

Je termine mon dessert, une crêpe chantilly avec coulis au chocolat. La main de Samuel effleure ma cuisse. Je le trouve beau, dans la brunante. Je l'aurais bien enroulé dans ma crêpe pour le manger tout cru. Jamais devant sa famille, tout de même !

Mercredi 15 juin 2011
23 h 36

J'ouvre la porte du condo d'Élise. Je viens chercher quelques effets personnels et des vêtements pour le lendemain ; Samuel m'attend sur sa moto. Je me dirige vers ma chambre, mais j'entrevois du coin de l'œil une silhouette d'homme. Je me retourne brusquement. Je reconnais Justin Dubois. Je perds immédiatement mon sourire et le salue sèchement. Élise apparaît derrière lui et m'envoie un regard timide. Justin Dubois est une catastrophe ambulante, un psychopathe relationnel.

À trois reprises, il a réduit le cœur de mon amie en miettes, la laissant dans un état absolument lamentable pendant des mois. Je ne peux pas croire qu'il refait surface. Il s'est toujours montré ambivalent et tiède à l'égard d'Élise. Il l'a quittée une première fois pour une fille avec laquelle il avait eu plusieurs relations sexuelles alors qu'il fréquentait selon lui exclusivement Élise.

Presque un an plus tard, il est revenu dans sa vie. Ils se sont fréquentés pendant plusieurs mois. Ce n'était toutefois pas une relation très sérieuse, au grand désarroi d'Élise. Lorsqu'elle le questionnait, il lui répondait qu'il n'était pas prêt à s'engager. Il a soudainement cessé de retourner ses appels, sans explications. Deux semaines plus tard, Élise apprenait par l'indiscrétion des réseaux sociaux qu'il annonçait ses fiançailles avec une fille qu'il venait de rencontrer en voyage.

Enfin, même scénario. Il revient après une absence prolongée. Rien ne va plus avec sa jeune fiancée, et il s'en plaint beaucoup auprès d'Élise. Après quelques baises avec elle, il disparaît à nouveau de sa vie. Et le revoilà dans le salon de mon amie, comme s'il était capable de sentir à distance qu'elle était finalement prête pour passer à autre chose, afin de s'assurer de lui gâcher une autre année.

J'entre dans ma chambre et ouvre le placard. Élise m'a suivie et ferme doucement la porte derrière nous.

— Je sais que tu vas me dire que ce n'est pas une bonne idée.

— Ce n'est pas une bonne idée, Élise.

— Il ne se passe rien, nous avons juste pris un verre.

— Laisse-moi deviner, sa blonde vient de le quitter?

— Ils se sont mutuellement laissés, mais ce n'est pas ce que tu penses. Nous ne…

— Élise, lui dis-je en m'approchant d'elle et en jouant avec une mèche de ses cheveux, tu n'as pas à te justifier. Je ne veux tout simplement pas que tu te fasses mal encore une fois.

— Tu ne me juges pas ? s'enquiert-elle d'un air enfantin.

— Jamais, voyons !

Je me détourne d'elle pour prendre mes vêtements et je laisse glisser tout bas entre mes dents : « Mais je le juge, lui ! »

— Je t'ai entendue ! me lance Élise en riant.

6

Dans l'arène avec les lions

Jeudi 16 juin 2011
9 h 07

*J*e marche d'un pas pressé dans le corridor de la foire alimentaire menant aux ascenseurs de mon bureau en tenant un café. J'arrive plus tard qu'à mon habitude au travail. La raison en est simple, je n'ai pas su résister aux avances suaves et langoureuses de Samuel, ce matin. J'aime sa peau.

Jeudi 16 juin 2011
14 h 30

J'ouvre la porte de la salle de conférences. Thomas Bergeron m'attend en buvant une boisson gazeuse. Il se lève pour me serrer la main. Je le sens nerveux. Je m'installe à la table et commence à lui parler :

— J'ai discuté de votre dossier avec mes associés et, malheureusement, mon cabinet ne sera pas en mesure de s'en charger, dis-je en le regardant droit dans les yeux.

La vérité est que je n'ai nullement discuté du dossier. Je n'ai même pas encore décidé si j'acceptais de m'en occuper. Je veux faire réagir Thomas Bergeron afin de prendre son pouls et d'être dans une meilleure position pour évaluer l'homme.

— C'est une erreur de votre part. C'est un bon dossier, Haydas utilise vraiment mon système! Prenez-le à pourcentage, vous allez faire de l'argent!

— Pour faire de l'argent, il faut d'abord gagner. Et comme je vous l'ai déjà dit, ce n'est pas une question de…

— Écoutez, prenez soixante-dix pour cent! Je veux juste obtenir justice. Je veux qu'on reconnaisse la paternité de mon système. J'ai travaillé très fort. J'ai tout mis ce que j'avais. Ils m'ont dépouillé!

— J'ai parlé avec votre dernier procureur.

M. Bergeron fait une pause et glisse ses mains dans ses cheveux.

— Je sais que je peux être difficile à l'occasion…

— Ce n'est pas ce que j'ai compris.

— OK, OK, j'ai été particulièrement difficile. J'étais échaudé par mon premier avocat, qui est parti avec tout ce qui me restait d'économies. Je sais que j'ai mauvais caractère, mais ce n'est quand même pas une raison pour me voler mon travail. C'est mon système! Prenez mon dossier. J'ai un bon sentiment avec vous. Vous avez un regard sincère.

— Regard sincère ou pas, le droit, c'est le droit. Pour bien mener un dossier, il faut souvent prendre des décisions difficiles. La collaboration du client est essentielle.

— Je vais collaborer, promis! Je vais faire tout ce que vous voulez. Vous pouvez même choisir mes vêtements!

— Hum…

— Écoutez, je suis mal pris. Je réalise que je vais perdre mon procès si je me représente seul. Je veux obtenir justice et je suis prêt à tout faire. Je sais que j'ai l'air d'un vieux rustre, mais je suis un homme honnête. Je vous jure que je vais faire preuve d'un comportement exemplaire. Prenez mon dossier. Je vous promets que vous n'allez pas le regretter.

— Bon, peut-être que je pourrais soumettre votre demande de nouveau à mes associés. Mais ne vous emballez pas. J'ai besoin de leur autorisation afin d'accepter un dossier à pourcentage.

— Merci, merci!

— Inutile de me remercier maintenant. Le pourcentage serait de trente pour cent. De plus, il vous faudrait payer au fur et à mesure le matériel, les photocopies, les cartables, ainsi que les frais judiciaires, frais de timbrage, d'huissiers, etc. Est-ce que cela vous convient?

— Oui, madame!

— Je vous ferai parvenir un mandat contenant tous les détails que vous devrez signer si j'obtiens l'autorisation de mes patrons. Je vous donne des nouvelles bientôt, lui dis-je en me levant et lui serrant la main.

**Vendredi 17 juin 2011
10 h 38**

Je suis debout dans le corridor. J'attends impatiemment que Me Claude Lambert daigne me recevoir dans son bureau. Mon chef de secteur est la personne qui autorise habituellement les dossiers à pourcentage. Manque de pot, il est présentement en vacances. Je n'ai pas d'autre choix que de m'adresser à Me Lambert. Je tiens nerveusement dans mes mains le formulaire détaillant le dossier qu'il devra signer. Je suis persuadée que ce ne sera pas facile. Il m'appelle enfin. Je commence à lui expliquer ma requête. Il me coupe la parole presque immédiatement.

— Des nouvelles de Richard Williams?

— Heu, non…, réponds-je surprise par la question.

— Est-il encore en ville ?

— Non, il est à Dubaï, je crois… Donc, pour revenir à mon dossier…

— Et Philippe Fontaine, êtes-vous toujours séparés ?

— Oui… Tenez, il s'agit d'un recours contractuel…

— Sara, tu sais, une séparation, ce n'est jamais facile. Il se peut qu'une jeune femme, dans un moment de vulnérabilité, se laisse déconcentrer par son entourage. Le travail d'avocat dans un bureau comme celui-ci demande énormément de rigueur.

— N'ayez aucune inquiétude, je suis plus focus que jamais, dis-je, n'aimant pas du tout la tournure de la conversation. Le procès dans mon dossier est prévu pour…

— Mon intention n'est pas de te dire comment diriger ta vie, ça ne me regarde pas. Toutefois, je voudrais te mettre en garde. Dans notre milieu des affaires, il y a des « requins » qui sont prêts à profiter des jeunes femmes. Maintenant que tu es célibataire, tu es en quelque sorte dans l'arène avec les lions.

Je suis en plein cauchemar ! Voilà qu'il se met à me donner des conseils déplacés et dépassés sur ma vie privée : requins, lions, il ne manque que le loup ! Mon premier réflexe est de l'envoyer promener. Je me retiens. J'ai besoin qu'il signe mon foutu papier. Je tente de revenir à mon dossier. Je comprends rapidement qu'il ne m'écoute pas. Je parle littéralement dans le vide. Il continue à me faire la morale. C'est tout juste s'il ne me sermonne pas sur l'importance d'avoir des relations sexuelles protégées. Je l'écoute telle une élève modèle, en tenant ouverte devant lui la chemise contenant mon formulaire. Son discours me donne la nausée. J'essaie de m'évader et de penser à des choses agréables. Un brownie au chocolat. Moi qui gagne le plus gros procès du monde. Bravo, moi ! La peau de Samuel. Hummmm… la peau de Samuel. Non ! Rien à faire. Il est impossible d'échapper à la réalité avec la voix gutturale de Me Lambert qui me ramène toujours dans son bureau. Je ne sais pas comment sortir de l'impasse. Soudain, il se tait et affiche l'air satisfait du bon père de famille ayant accompli son devoir. Il prend mon formulaire et le signe sans poser de questions. Je suis estomaquée par ce revirement de situation totalement inattendu. Je le remercie et quitte rapidement son bureau en riant dans ma barbe.

Jeudi 23 juin 2011
21 h 49

Geneviève, ma collègue qui œuvre en droit du travail, tente une dernière fois de me convaincre de l'accompagner sur le plancher de danse. Je lui fais signe que non en riant. Je demeure seule, assise à la table de banquet ronde, me plaisant à regarder mes collègues se déhancher sur la piste. Ça me fait du bien de décrocher un peu. J'ai travaillé comme une folle, cette semaine, sur le dossier de Thomas Bergeron. Un serveur m'offre de remplir ma tasse. Le café servi par l'hôtel qui accueille la rencontre estivale de l'Association des jeunes barreaux du Québec est très bon. L'événement, qui convie tous les avocats de la province ayant moins de dix années de Barreau, a été planifié avec soin. Plusieurs conférences intéressantes sur le droit nous ont été présentées. Elles ont été suivies d'un repas cinq services et d'une soirée dansante. Par la baie vitrée, je peux voir que le soleil vient tout juste de se coucher sur la rue passante du centre-ville. Ma serviette de table glisse de mes cuisses. Je me penche pour l'attraper, mais on me prend de vitesse. Vincent Langelier la tient dans ses mains en me souriant.

— Je suis déçu, j'espérais une petite culotte, me dit-il, l'air espiègle.

J'éclate d'un rire franc et clair. Je finis par lui répondre qu'une seule fois dans une vie, c'est suffisant.

— C'était assez embarrassant, merci.

— Pourtant, tu n'avais pas du tout l'air gêné, dit-il en s'assoyant à mes côtés.

— Il faut croire que je sais bien cacher mes émotions…

— Je me demandais, c'est facile de perdre une petite culotte?

— Dieu non! réponds-je en riant de plus belle.

Vincent me regarde avec insistance, espérant des explications.

— C'est malheureusement tout ce que j'ai à dire sur le sujet.

Jeudi 23 juin 2011
23 h 17

Vincent et moi sommes toujours assis à la table de banquet à converser, alors que la majorité des convives dansent ou boivent, agglutinés autour des deux bars de la salle. J'ai beaucoup de plaisir à discuter avec lui. Nous avons parlé d'une multitude de sujets : de droit, de l'actualité, d'art, des relations de couple et j'en passe. J'ai été très étonnée d'apprendre qu'il est célibataire depuis plusieurs années. Je suis certaine que les filles doivent se jeter à ses pieds. Début trentaine, beau, intelligent, ayant une belle carrière; Vincent est un candidat doté d'un potentiel très rare sur le marché… En plus, il a un très bon sens de l'humour et a une opinion sur tout. Ça tombe bien, moi aussi. Même si je le connais très peu, j'ai l'impression d'échanger avec un vieil ami. Je lui mentionne que je vais représenter Thomas Bergeron. Son visage change.

— Vraiment? Tu sais qu'il a mené son dernier avocat à la limite de l'épuisement professionnel? Il est incontrôlable. C'est sûr que je suis mal placé pour m'en plaindre; son attitude rend mon travail tellement plus facile.

— Je trouvais que je n'avais pas assez de défi! dis-je en blaguant.

Mon téléphone vibre. C'est Samuel, qui m'envoie un message texte pour m'avertir qu'il est en face de l'hôtel. Nous avions convenu qu'il passerait me prendre après son travail. C'est simple, Samuel m'offre de venir me chercher tous les jours où il termine à une heure décente. J'accepte chaque fois; je suis une véritable *junkie* de son tempérament joyeux et de ses caresses. Je me retourne et l'aperçois à travers la baie vitrée. Je lui envoie la main. Je mentionne à Vincent que je dois partir et me lève. Il se lève à son tour et me fait la bise. Il observe ensuite Samuel avec attention en fronçant les sourcils:

— Il n'était pas à la taverne, lui? C'est un des policiers qui t'ont arrêtée?

— C'est exact.

— Tu fréquentes le policier qui t'a arrêtée? insiste-t-il, incrédule.

— C'était ça ou la prison! réponds-je sur un ton moqueur.

— Je pense que j'ai choisi la mauvaise profession…

Sur ce, je quitte Vincent en riant. Samuel, qui m'attendait à l'extérieur, s'avance vers moi, m'embrasse et m'étreint avec ardeur. Je suis heureuse de le voir. J'agrippe son bras et il m'emmène à sa voiture.

Vendredi 24 juin 2011
19 h 27

Je regarde avec grande anticipation le gâteau au chocolat nappé de caramel à la fleur de sel que la serveuse vient tout juste de déposer devant moi. Élise, Marie et moi nous sommes donné rendez-vous dans un restaurant se spécialisant dans les desserts au chocolat. C'était l'initiative d'Élise, qui ressent le besoin d'obtenir du réconfort à la suite du retour de Justin dans sa vie. Pour ma part, je profite des spécialités du restaurant par pur opportunisme et par gourmandise. Je ne sens nullement l'envie de me gâter avec des sucreries. J'ai tout le miel dont j'ai besoin avec Samuel.

J'ai dû empêcher Marie de s'arracher les cheveux quand Élise lui a annoncé la nouvelle. Je lui ai commandé des carrés de chocolat noir afin de la calmer. Élise est bouleversée. Elle se doute bien que Justin ne changera pas d'attitude envers elle. Déjà, il se montre flou sur ses intentions à son égard.

D'un autre côté, elle est incapable de le renvoyer. Nous tentons de la conseiller au meilleur de nos capacités. Toutefois, je sais pertinemment qu'elle ne suivra pas nos précieux conseils. Élise ne pourra s'empêcher de suivre son cœur trop grand et trop tendre. En tant qu'amies, nous ne pouvons que l'appuyer et espérer pour le mieux. Après le dessert, nous décidons de marcher sur une des artères achalandées de Montréal. L'humeur penaude d'Élise contraste fortement avec la fébrilité des citoyens de la ville, en cette journée de fête nationale.

Samedi 25 juin 2011
19 h 14

Je fouette avec vivacité de la crème dans un cul-de-poule. Je prépare une bagatelle faite avec de délicieuses fraises du Québec comme dessert. Samuel travaille, ce samedi. Je lui ai offert de l'attendre chez lui tout en lui préparant à souper. Je me suis donnée à fond. J'ai préparé en entrée une salade de betteraves au fromage de chèvre et, comme plat principal, un risotto aux homards. J'ai fait cuire moi-même les pauvres crustacés. Samuel arrive alors que je termine la bagatelle. Son sourire illumine la pièce. Il m'embrasse avidement dans le cou pour ensuite ouvrir les chaudrons et les plats afin de goûter à tout. Je lui mentionne que le repas est prêt et que nous pouvons passer à table s'il le désire. Il me répond qu'il doit simplement faire une petite chose avant. C'est alors qu'il m'agrippe, me jette sur son épaule comme un sac de pommes de terre et m'emmène dans la chambre à coucher en simulant un rire diabolique. Je m'esclaffe tout en pensant que je ne me lasserai jamais de sa fougue. Nous faisons l'amour et j'ai bien peur que le triplex en entier soit en mesure de témoigner de notre passion. Ensuite, nous nous installons sur une grande couverture étendue sur le plancher du salon pour souper. Samuel mange avec appétit alors que je lui fais la conversation.

Lundi 27 juin 2011
9 h 14

Me Yves St-Onge entre dans mon bureau en frappant sur le cadre de la porte. Il tient un dossier dans ses mains.

— Bonjour, Sara, serais-tu disponible mercredi matin pour aller à la cour? J'aimerais que tu plaides une requête pour moi.

Je lui réponds que je suis disponible. Il s'assoit dans mon bureau et me donne les détails du dossier. Il se lève pour sortir puis se tourne vers moi. Sa posture change et il baisse le timbre de sa voix.

— Est-ce que ça va, Sara? me demande-t-il sur un ton empathique.

— Oui, je vais bien. Pourquoi? lui demandé-je, surprise par sa question.

— Ta rupture, me dit-il, légèrement embarrassé.

— Ma rupture? Mais je vais très bien. Et crois-moi, je me sens beaucoup mieux maintenant que lorsque j'étais en couple avec Philippe. Mais qui…

— C'est Claude Lambert, me répond-il en se rassoyant sur la chaise et en affichant un air exaspéré. Il

164

a mentionné en réunion d'associés que tu venais de te séparer, que tu vivais des moments difficiles et que nous devrions y aller plus tranquillement avec toi.

— N'importe quoi!

— Ne t'inquiète pas, j'ai quand même décidé de te confier le mandat, dit-il en pointant le dossier qu'il vient de laisser sur mon bureau et en s'éclipsant pour de bon.

Je sens la colère monter en moi. J'ai beaucoup de difficulté à contenir ma rage. Claude Lambert est vraiment un vieux con paternaliste. Il me dépeint en réunion d'associés comme étant une petite chose vulnérable. Bonne chance pour obtenir de bons mandats après ça. Je ne me laisserai pas faire. Ça fait longtemps que je veux régler mes comptes avec lui, et ça tombe bien, j'ai décidé de ne plus avoir peur! Je quitte mon bureau en trombe.

Lundi 27 juin 2011
9 h 41

J'entre dans le bureau de Me Claude Lambert sans frapper et ferme la porte derrière moi. Plus question de poireauter dans le corridor. Je m'assois en face de lui, devant son bureau. Je prends quelques secondes pour centrer mes énergies et retrouver mon calme. Je ne veux surtout pas m'exposer au risque qu'on me traite de furie hystérique. Me Lambert me regarde avec étonnement. Je décide d'entrer directement dans le vif du sujet:

— Vous avez mentionné en réunion d'associés qu'il était mieux d'y aller «tranquillement» avec moi en raison de ma rupture. Votre commentaire n'est nullement justifié et je vous rappelle que ma vie privée ne vous regarde pas.

— Ta vie privée me regarde lorsqu'elle a un impact sur les affaires du bureau.

— Je ne vois vraiment pas en quoi elle aurait un impact sur les affaires du bureau.

— Tu fais preuve d'un comportement très critiquable. Tu t'invites dans des réunions avec des clients, tu pars avec l'invité d'honneur lors d'une activité sérieuse du cabinet, tu prends le *lead* en réunion de secteur, tu quittes le bureau en motocyclette avec un quelconque gaillard…

— Mais qui vous a…

— J'ai mes sources. Je crois que j'ai plusieurs motifs pour m'inquiéter des conséquences de ta vie privée sur le bureau.

— Vous avez tort, maître Lambert, réponds-je avec beaucoup de sérieux. Je travaille très fort et les clients sont très heureux de mon dynamisme et de mon audace. Pensez à M. Normandin, des Industries Normandin. Je crois qu'il était enchanté par mon *lead*. De plus, je vous rappelle que dans tous les dossiers où vous m'avez impliquée, c'est par moi que les clients passent en raison de votre horaire très chargé. En me basant sur la relation que j'ai développée avec eux, j'ai bien l'impression qu'ils m'apprécient énormément. Je réussis même à aller en chercher, pensez seulement à M. Price. Je suis une personne d'équipe, maître Lambert. Je parle toujours en bien et de façon élogieuse de vous et de vos grandes capacités juridiques. J'ai pour conviction que lorsque l'équipe brille, tous ses membres resplendissent. Toutefois, je m'attends à ce que vous me rendiez la pareille. Je parle en bien de vous, vous parlez en bien de moi. Tout le monde est gagnant. Pour ce qui est de mes relations avec la gent masculine, cela ne vous regarde en rien. J'aime les hommes et vous devrez vous habituer à en voir à mes côtés.

J'attends avec aplomb la réplique de Me Lambert, même si une partie de moi voudrait aller se cacher sous le bureau. Je n'ai aucune idée de la façon dont il réagira et du sens dans lequel ira sa réponse. Il pourrait très bien décider de me mettre à la porte. Pis encore, de ne rien dire et de passer le mot en sourdine aux autres associés de ne plus me donner du tout de mandats, condamnant ainsi ma carrière au cabinet à une longue agonie. Me Lambert se racle la gorge et affiche un sourire en coin :

— Eh bien, Sara, ce n'est pas l'image que j'avais de toi. J'aimerais bien soulever ta jupe pour m'assurer que ce n'est pas une grosse paire de couilles que tu as entre les jambes ! C'est une bonne chose pour nous d'avoir de jeunes avocats qui ont du cran. Va voir Me Giroux, il cherchait justement quelqu'un pour le seconder dans un dossier qui s'annonce houleux.

Je quitte le bureau en saluant Me Lambert. Heureuse de la conclusion de notre conversation, je tente toutefois désespérément de chasser de mon esprit l'horrible image née à la suite de ses dernières paroles.

Lundi 27 juin 2011
12 h 26

— « J'aimerais bien soulever ta jupe pour m'assurer que ce n'est pas une grosse paire de couilles que tu as entre les jambes » ? s'interroge Alexandre en terminant son sandwich.

— C'est sa manière de me faire un compliment, il faut croire.

— Ark !

Alexandre et moi dînons assis sur un banc, à l'extérieur. Alexandre s'allume une cigarette. C'est sa troisième en très peu de temps, lui qui n'a pas l'habitude de fumer.

— Qu'est-ce qui t'arrive ? Tu enchaînes les cigarettes.

— Je suis stressé. Un de mes clients se fait poursuivre, actuellement, sur la base d'un contrat que j'ai rédigé en début de carrière. L'autre partie prétend que certaines clauses sont abusives et donne un sens complètement farfelu à d'autres clauses pourtant très claires.

— Tu ne devrais pas t'en faire autant. J'ai lu plusieurs de tes contrats et tu rédiges super bien, de manière concise et limpide. Peu importe la qualité de rédaction du contrat, lorsqu'une partie décide qu'elle ne veut plus respecter ses obligations, elle réussira toujours à élucubrer une interprétation originale. Je suis bien placée pour le savoir, c'est ce qui se produit dans quatre-vingt-dix pour cent de mes dossiers de litige.

— J'ai la chienne. J'ai peur de me faire poursuivre par mon client si le juge donne raison à la partie adverse.

— Je suis certaine que ça n'arrivera pas. De toute façon, ce ne serait pas la fin du monde. Tu n'es pas seul, tu as ton bureau derrière toi. Avant de transmettre ton contrat au client, tu l'as sûrement fait réviser par l'avocat sénior au dossier, non ?

— Évidemment. J'étais au début de ma carrière. Je ne faisais rien sans approbation. Mais il pourrait très bien le nier.

— Il ne pourra pas. Il a immanquablement chargé son temps au client pour réviser ton travail.

— Ça, c'est certain, me répond-il en expirant la fumée de sa cigarette. Je n'aime quand même pas ça. Je me sens sur la sellette.

— Je comprends, lui dis-je en lui frottant le dos gentiment. Mais je suis persuadée que tout va bien se passer.

Je me montre encourageante pour Alexandre. Toutefois, il me communique son angoisse. Je pense au dossier de Thomas Bergeron, que j'ai pris sans véritablement consulter qui que ce soit. Si cette affaire tourne au vinaigre, non seulement je serai la seule responsable, mais j'aurai également mon cabinet sur le dos.

Mardi 28 juin 2011
11 h 01

Je raccroche le téléphone avec le sourire. Je viens de dénicher un nouveau client grâce à mon article qui vient de paraître dans le magazine *Le Chantier*. Antoine Simard, de Écomodèle inc., veut me confier le mandat d'entamer des procédures afin de poursuivre un fournisseur qui lui aurait fait faux bond. Je lui ai donné rendez-vous cet après-midi à ce sujet.

Mardi 28 juin 2011
15 h 42

J'entame la rédaction d'une requête introductive d'instance à la suite de l'obtention du mandat de la part d'Écomodèle inc. Antoine Simard est venu me rencontrer avec ses deux associés, Louis et Jean-François. Ce sont tous les trois des ingénieurs, fin trentaine, qui ont fondé une belle et inspirante entreprise de construction de chalets luxueux et de maisons d'été préfabriqués, écologiques et énergétiquement autonomes. Ils sont sur le point d'obtenir un gros contrat avec la multinationale Clear Fountain Resorts, qui bâtit et gère de vastes complexes de villégiature. Cette multinationale a d'ailleurs pour projet un grand complexe situé au pied d'une montagne très convoitée, dans le nord du Québec, et veut absolument prendre un virage « vert ». Écomodèle en est présentement à la fabrication de leurs chalets prototypes, et c'est à cette occasion que le litige est survenu. C'est très simple, les trois associés ont payé une centaine de milliers de dollars pour des matériaux qui n'ont jamais été livrés. Il s'agit d'un fournisseur avec lequel ils avaient déjà fait affaire à maintes reprises par le passé, sans problèmes, jusqu'à aujourd'hui. Je leur ai demandé s'ils avaient des raisons de penser que leur ancien fournisseur serait devenu insolvable. Ils m'ont indiqué que rien ne portait à le croire et qu'ils voulaient tenter de récupérer le plus rapidement possible l'argent versé.

Mardi 28 juin 2011
19 h 37

Je remarque de longues fissures dans les murs pourtant fraîchement peinturés. Je n'oserai même pas aller constater la condition des fondations de ce triplex transformé en condo. Élise ouvre et ferme tous les placards du logement alors que Marie sort de la salle de bain, le visage troublé.

— La salle de bain est à refaire, m'annonce-t-elle.

— Il y a de la moisissure dans certains placards, ajoute Élise.

— Ce condo est dans un état lamentable, conclus-je.

Un peu blasée, je vais voir l'agent qui nous a fait découvrir cette charmante demeure pour l'informer que je ne suis pas intéressée. Nous sortons rapidement de l'immeuble, dont l'atmosphère lourde et imprégnée d'humidité sentait le renfermé.

— Mon Dieu que c'est déprimant ! s'exclame Marie.

Elle a raison. J'ai déjà visité plusieurs condos et c'est un scénario qui se répète. Les filles m'ont offert de m'accompagner pour la plupart des visites. Le prix des condos sur l'île de Montréal est exorbitant, particulièrement dans mes quartiers de prédilection. Même ceux qui sont en mauvais état sont très chers.

— Il ne faut pas te décourager, tu vas finir par trouver, affirme Élise, confiante.

— Je vais chercher un appartement, en attendant. Je ne peux pas vivre éternellement chez toi.

— Non, non ! Tu restes chez moi jusqu'à ce que tu tombes sur la maison de tes rêves ! me répond autoritairement Élise. De toute façon, tu ne me déranges absolument pas ; tu es toujours rendue chez Samuel.

— C'est vrai. Qu'il est doux de dormir auprès de Samuel…

— Tu es chanceuse, il veut toujours passer du temps avec toi. Moi, je n'ai pas de nouvelles de Justin depuis plus d'une semaine. Je lui ai même envoyé un message texte vendredi, après vous avoir quittées, pour lui demander ce qu'il avait prévu pour le week-end et il ne m'a jamais répondu. Ne dites rien ! Je sais, je sais…

Je prends Élise par le bras. Elle laisse échapper un long soupir.

Mercredi 29 juin 2011
10 h 08

Le greffier spécial nous indique, à moi et au confrère qui représente la partie adverse, le numéro de la salle de cour où nous devons nous diriger pour plaider devant le juge. Ce matin, je suis au palais de justice afin de présenter la requête que m'a déléguée Yves St-Onge en début de semaine. J'entre dans la salle indiquée. Plusieurs avocats y sont déjà installés et attendent leur tour afin de pouvoir débattre leurs requêtes respectives. Certains visages me sont familiers et je remarque que Vincent Langelier est debout devant le juge. Un confrère plaide avec monotonie à ses côtés.

Lorsque Vincent m'aperçoit, son visage s'éclaire. Il fait tournoyer son crayon dans les airs et l'échappe maladroitement. Son geste me fait sourire. Je le trouve mignon. Vincent se penche pour ramasser le crayon et, comprenant que l'avocat qui plaide contre lui en a pour longtemps, il s'assoit à l'une des deux tables placées de biais en face du juge. Je prends place dans

les sièges de l'auditoire, mon dossier sera le dernier
à être entendu. Après quinze interminables minutes,
le confrère assommant conclut ses représentations.
Vincent Langelier se lève et commence sa plaidoirie.
Une chose est certaine, j'adore l'écouter plaider. Il s'exprime clairement avec une voix superbe. Ses idées sont
parfaitement structurées. Son ton est toujours posé,
assuré et jamais ennuyeux. Il possède une prodigieuse
éloquence et un contrôle qui semble imperturbable.

De toute évidence, il bénéficie d'un talent naturel
pour exercer sa profession. Je l'observe plus attentivement. C'est assurément un beau garçon : les cheveux
fournis très foncés, les yeux d'un bleu clair, les traits
du visage fins et la mâchoire carrée. Le juge rend son
dispositif. Vincent a réussi à faire rejeter la requête,
malgré le fait que les probabilités aient été à son désa-
vantage. Ça promet pour mon procès avec Thomas
Bergeron.

Mercredi 29 juin 2011
15 h 27

Je viens de terminer l'amendement dans le dossier
de Thomas Bergeron. J'ai de la difficulté à croire que
je m'apprête à déposer une requête amendée en très
grande partie et qui fait passer les sommes réclamées
de 750 000 dollars à plus de six millions et demi. J'ai
bien expliqué à mon client, de vive voix et par écrit, les
conséquences de perdre un dossier de plusieurs millions de dollars. Le juge peut condamner aux dépens
la partie perdante. Je lui ai indiqué que ces derniers
pourraient être très élevés, dans son cas.

En effet, les dépens, soit les frais judiciaires encourus
par les parties (qui excluent les honoraires des avocats),
sont fixés par tarif, et leur coût est proportionnel au
montant en litige. Ainsi, si M. Bergeron perd sa cause
et est condamné aux dépens, non seulement il n'aura

pas un sou, mais il recevra un mémoire de frais salé qu'il devra verser à l'autre partie. Il m'a affirmé que ça ne l'inquiétait guère. Il est déjà endetté et, sans les sommes que lui doit Haydas, il se dirige de toute façon vers la faillite, mémoire de frais ou pas.

Jeudi 30 juin 2011
9 h 43

Maryse, mon adjointe, me tend une télécopie. Je lis la procédure transmise par Vincent Langelier. Il s'oppose à mon amendement dans le dossier de M. Bergeron. Je m'y attendais. Je devrai aller débattre de la question en cour mardi prochain.

Samedi 2 juillet 2011
10 h 12

Samuel fait des dessins dans mon dos avec ses doigts alors que nous profitons de la grasse matinée. Je savoure le moment et me prélasse sous les grands rayons de soleil qui entrent par la fenêtre. Malheureusement, le tapage constant qui provient de l'étage supérieur gâche un peu cette matinée de rêve. C'est le week-end des déménagements, et tout laisse supposer que les voisins du dessus quittent leur logement. Je rouspète contre le bruit et lance à la blague :

— On pourrait les poursuivre pour troubles de voisinage ! Le *pretium doloris*[7] serait exorbitant ! J'aurais droit à un montant faramineux à titre de dommages : ne pas pouvoir profiter de tes caresses vaut une fortune !

---

7. « Prix de la douleur. » Expression utilisée en droit pour désigner le montant des dommages auquel une victime a droit en compensation des souffrances qu'elle a subies.

— Nous sommes le 2 juillet, c'est tout à fait normal de faire du bruit en déménageant, répond froidement Samuel avec son ton de policier tout en se détournant.

— Je plaisante, Samuel, dis-je, surprise par sa réaction.

— Je sais, excuse-moi, Sara. Mais du latin au lit le matin, c'est un peu trop pour moi. Tu aimes beaucoup discuter de poursuites et débattre. Ça me fatigue à la longue.

— Ça te fatigue ? demandé-je, blessée.

— Oui, c'est négatif et ce n'est pas mon genre. J'aime être positif et de bonne humeur.

— Mais je suis de bonne humeur ! Je te faisais même un compliment.

— Je suis désolé. Ça doit être ma journée d'hier, répond-il davantage pour mettre fin à l'argument que pour réellement s'excuser. Je vais prendre une douche.

Samuel sort de la chambre et je me laisse retomber dans le lit. En moins de trente secondes, je viens de passer du paradis à la froide solitude découlant du malaise. Je ne comprends pas très bien ce qui vient de se produire.

Mardi 5 juillet 2011
16 h 21

Je marche d'un pas lent vers l'immeuble de bureaux. Je traîne derrière moi ma grosse mallette à roulettes. J'ai décidé d'aller au cabinet à pied malgré mon bagage rempli de documents. J'ai besoin de réfléchir. Le juge n'a pas retenu les motifs d'opposition de Vincent et a accepté mon amendement. Cela n'a rien de vraiment étonnant ou de remarquable, puisque le Code de procédure civile prévoit qu'une partie peut amender en tout temps.

J'ai joint Thomas Bergeron par téléphone pour lui faire part de la décision du juge. Il en a été très heureux.

Pour ma part, une partie de moi aurait préféré perdre. J'aurais eu une excuse parfaite pour abandonner le dossier. Plus la date du procès approche, plus je sens mon angoisse s'amplifier. J'ai le sentiment désagréable d'être sur le point de me jeter dans la gueule du loup.

Mercredi 6 juillet 2011
10 h 16

J'ajoute un sucre dans mon latté et vais rejoindre Geneviève à une petite table ronde. Nous avons décidé de prendre une pause dans un café au pied de l'immeuble où nous travaillons. Geneviève me raconte qu'elle vient de déménager avec son amoureux sur un coup de tête. Ils se fréquentent depuis six mois et c'est la grande passion. Elle m'avoue qu'elle considère son geste comme n'étant pas très raisonnable, après coup ; elle est toujours liée par bail à son ancien logement. Heureusement, le loyer n'est pas très cher. Elle avait repris, il y a plusieurs années, le logement de sa grande sœur. Cette information capte vraiment mon attention et je lui demande où se situe son appartement. Mon cœur bat très fort lorsqu'elle m'informe qu'il se trouve dans une petite rue tranquille du Mile End. Je lui mentionne alors que je suis justement à la recherche d'un appartement. Elle se réjouit de la coïncidence et m'invite à aller le visiter en soirée.

Mercredi 6 juillet 2011
19 h 53

Je n'en reviens pas du fabuleux concours de circonstances. Geneviève et moi remplissons les documents de cession de bail. Son appartement est absolument formidable et pas cher du tout. Une vraie perle. Il s'agit d'un grand trois et demi au rez-de-chaussée d'un minuscule duplex. Le logement n'est pas rénové, mais est dans un très bon état et très propre. Il est lumineux et possède une charmante cour verdoyante. Je signe les papiers avec excitation.

Samedi 9 juillet 2011
17 h 21

Je démarre pour la quatrième fois le film *Mary Poppins*, un des rares films de ma maigre collection. Bingo ! Ça marche ! Cette fois-ci, j'ai l'image et le son. Je viens de terminer d'installer mon nouveau téléviseur et lecteur DVD dans mon nouvel appartement. Je me moque du sentiment d'autonomie que cette simple tâche me procure. J'ai éprouvé le même sentiment lorsque j'ai branché ma connexion à Internet. Je fais le tour de mon logement. Je suis satisfaite. J'ai un besoin criant de meubles, mais j'ai au moins l'essentiel, que j'ai acheté en vitesse. Geneviève m'a vendu pour une bouchée de pain ses électroménagers, sa table de cuisine et son sofa. Je peux également remercier mes parents, qui ne jettent jamais rien. Ma mère avait suffisamment d'accessoires en double pour fournir ma cuisine au grand complet. Ma petite table Louis XVI, elle, trône bien en vue dans mon salon, symbole d'un grand pivot de ma vie. On sonne à la porte. C'est Samuel, qui tient un bouquet de fleurs pour mon nouvel appartement. Il m'enlace. Je l'attire à l'intérieur tout en le déshabillant. Nous faisons l'amour sur le tapis de mon salon, avec pour ambiance sonore les chansons guillerettes de *Mary Poppins*.

S-u-p-e-r-c-a-l-i-f-r-a-g-i-l-i-s-t-i-c-e-x-p-i-a-l-i-d-o-c-i-o-u-s !

7

Le sac-poubelle

Mardi 12 juillet 2011
19 h 04

*S*amuel est assis devant moi à ma table de cuisine. Il regarde vers le sol et tient ses mains
entre ses cuisses. Je l'observe sans y croire. J'ai de la
difficulté à bouger tellement je suis abattue. Il vient
de m'annoncer qu'il me quitte. Comme ça.

Je suis en état de choc. Je m'étais préparée pour aller
manger avec lui au restaurant et passer une belle soirée.
Pas pour qu'il me dise que c'est terminé entre nous.

— Je ne comprends pas. C'est si soudain.

— Je suis désolé, Sara.

« Je suis désolé, Sara. » C'est la seule chose qu'il me
répète depuis quinze minutes.

— Aide-moi à comprendre. Je sais que ça ne fait
pas très longtemps qu'on est ensemble, mais j'ai besoin
d'un minimum d'explications. Tout allait bien, non ?

— J'ai rencontré quelqu'un d'autre.

— Quoi ? Quand ? On a fait l'amour dans toutes
les pièces de mon nouvel appartement le week-end
dernier. Tu as rencontré quelqu'un en deux jours ?

— Je la connaissais déjà. C'est une fille à mon travail. Ne t'inquiète pas, je ne t'ai pas trompée.

— Pas trompée? Mais tu me laisses quand même pour quelqu'un d'autre! Tu es amoureux d'elle? Depuis combien de temps?

— Je ne sais pas, ça s'est fait progressivement.

— Pendant qu'on était ensemble? Qu'est-ce qu'elle a de plus que moi? demandé-je tel un véritable cri du cœur.

— Mais rien, voyons. Elle me ressemble plus, c'est tout. Sara… De toute façon… Je ne pense pas qu'on soit faits l'un pour l'autre. Tu n'es pas d'accord? On n'a pas les mêmes intérêts. Je fais plein de sports, tu n'en fais pas. Tu adores discuter, alors que moi, l'argumentation…

— L'argumentation?

Mon cœur chavire. J'aimerais pouvoir être furieuse contre lui, mais je n'y arrive même pas. Il a l'air tellement sincère et «désolé». Je ne tolère plus d'être dans la même pièce que lui, à subir son regard chargé de pitié. Sa présence m'est douloureuse. Je me sens rejetée et inadéquate. J'ai le sentiment de ne pas avoir été assez pour lui. Ou *trop*. Trop fatigante avec tous mes commentaires, mes explications sur le droit, mes théories douteuses et mes faux débats.

J'ai envie de lui dire que je peux changer. Que je peux fermer ma grande gueule cinq minutes et faire du sport. Mais c'est trop tard, *elle* est déjà là. Je demande à Samuel de partir. Il s'avance vers moi pour me prendre dans ses bras. Je le repousse. Je ne supporte aucun geste tendre de sa part. Je ferme lentement la porte derrière lui et me retrouve seule. J'ai l'impression qu'on vient de m'arracher mon manteau en pleine tempête. Je regarde autour de moi, mon nouvel appartement me semble étranger.

Mercredi 13 juillet 2011
10 h 17

Je bois un café devant mon ordinateur. La page des actualités juridiques est ouverte, mais je n'y prête guère attention. Je n'ai pratiquement pas fermé l'œil de la nuit. Je n'arrivais pas à trouver le sommeil. J'imaginais que Samuel, tout de suite après m'avoir quittée, avait probablement été rejoindre sa douce pour lui annoncer dans un élan passionné qu'il était enfin libre – libre de moi – et qu'elle était tombée amoureusement dans ses bras. Je les imaginais faire l'amour vigoureusement, leurs étreintes étant dignes d'une performance olympique, pour enfin terminer leur soirée magique en participant main dans la main à un triathlon.

Penser qu'ils étaient ensemble alors que moi j'étais seule me rendait complètement folle. L'idée qu'elle était avec *mon* Samuel et qu'elle pouvait le toucher, l'embrasser, humer son doux parfum m'était tout simplement insupportable. Nous vivions certainement des émotions complètement opposées ; moi, la déchirure amoureuse, et eux, la délicieuse ivresse de la naissance de leur nouvelle intimité. J'ai fini par m'endormir pathétiquement sur un tas de serviettes dans ma salle de bain. C'est la seule pièce où Samuel et moi n'avions pas fait l'amour…

Mercredi 13 juillet 2011
17 h 53

J'entre seule dans mon appartement. Je suis dans un état aussi lamentable que lorsque je l'ai quitté ce matin. Je me sens triste, mais également très angoissée en raison de ma rupture. Samuel me donnait des ailes. Notre relation générait en moi énormément de confiance. Tout avait été très vite. Je passais presque tous mes temps libres avec lui et je me soûlais de sa présence. Cela m'avait permis de ne plus penser à Philippe et à la justesse de mes décisions. J'aimais croire que j'avais séduit facilement un homme splendide qui était absolument fou de moi. Je me sentais libre et aventureuse quand je faisais de la moto avec lui. J'aimais l'image que me renvoyait notre relation. Celle d'une femme forte qui fréquente la plus belle pièce d'homme en ville. Je chérissais par-dessus tout l'attention et l'affection qu'il me donnait. Je me sentais tellement désirée. Il voulait constamment faire l'amour.

Je réalise maintenant qu'il me faisait probablement autant d'avances pour me faire taire et m'empêcher de l'assommer avec mon verbiage… en latin. J'ai très mal à l'orgueil. Je ne sais pas ce qui cloche chez moi, je ne peux juste pas m'en empêcher. Les locutions latines sortent de ma bouche à tout moment sans que je puisse les retenir. Quelle tronche je fais! Note à moi-même : le latin, ce n'est vraiment pas sexy.

Je me sentais forte avec Samuel. L'avoir à mes côtés me donnait une fausse image de succès. En plus, j'avais l'impression que c'était moi qui tenais les rênes de notre relation. Que je me suis trompée! En un claquement de doigts, il m'a jetée pour une autre… qui est probablement très belle, sportive, facile à vivre et rafraîchissante. Je suis épuisée. Pas question de dormir dans la salle de bain, cette fois. Je décide de modifier l'apparence de mon logement. Je change mes draps et ajoute une couverture sur mon lit. J'entreprends de déplacer mon sofa. Je le pousse de toutes mes forces, mais il ne bouge que de quelques centimètres. Je rage et peste contre le meuble pour finalement m'écrouler dessus. Je suis vidée.

Toutes mes craintes refont surface. Je doute de tout et j'ai l'impression de faire n'importe quoi. Je n'étais quand même pas si mal que ça avec Philippe, non? Philippe… Je me demande ce qu'il fait. J'ai très envie de lui parler. Je me fais la morale avec ironie en me disant qu'il s'agit d'un classique, que de vouloir appeler son ancien copain après une séparation. Mais qu'est-ce que ça peut bien faire, après tout? Il n'y a rien de mal. Je prends mon téléphone et compose:

— Salut, ma belle!

— Mariiiie! J'ai besoin de te parler! Samuel vient de me laisser et je suis sur le point d'appeler Philippe!

Lundi 8 août 2011
11 h 04

Le bureau fonctionne un peu moins au ralenti aujourd'hui. Les deux dernières semaines ont été très tranquilles en raison des vacances de la construction. J'en ai profité pour me concentrer sur le dossier de Thomas Bergeron. J'ai travaillé très fort. Un peu pour oublier Samuel et surtout parce que je veux être bien préparée. Je désire que tout soit impeccable: le plan d'argumentation, les cahiers de pièces, les cahiers d'autorités, etc. Je ne veux rien laisser au hasard afin de redonner de la crédibilité à un dossier mal parti. En plus, je sais pertinemment que Vincent est un excellent avocat qui travaille avec minutie et toujours de façon très structurée. J'ai rencontré deux fois chacun de mes témoins, à l'exception de M. Bergeron, avec qui j'ai fait cinq rencontres, afin de bien les préparer. Il n'est pas un témoin facile, mais j'ai espoir d'obtenir un résultat acceptable.

À part le travail, rien d'intéressant ne m'est arrivé. Je n'ai pas contacté Philippe. Élise et Marie se sont occupées de me consoler. Elles ont réussi à me réconforter un peu en me mentant à propos de Samuel; en me disant qu'il n'était pas si beau, si gentil, si bon amant... Ça ne va pas très bien non plus pour mon amie Élise. Hier encore, je me suis retrouvée à manger un gâteau au chocolat – avec appétit cette fois – devant une Élise éplorée. La veille, après un souper arrosé, Justin lui a fait une grande déclaration d'amour. Malheureusement, il s'est rétracté le lendemain sur un ton badin, comme s'il s'agissait de paroles banales, prétextant qu'il avait trop bu. Il n'est vraiment pas facile à aimer, celui-là.

Samedi 13 août 2011
19 h 51

Élise place les couverts sur la table avec enthousiasme, passe derrière le comptoir de sa cuisine et avale une grande gorgée de mousseux rosé en chantant par-dessus les paroles d'une chanson rétro qu'elle fait jouer à tue-tête dans son appartement. Je suis heureuse de la voir aussi joyeuse ; elle avait tellement la mine basse, le week-end passé. Marie me lance un sourire. Elle pense la même chose que moi. Élise dépose sur la table un grand bol de salade César au poulet, nous sert et s'assoit. Nous discutons pendant un moment de nos carrières respectives. Profitant d'un silence dans la conversation, Élise nous lance :

— C'est terminé, avec Justin. Je lui ai dit que je ne voulais plus jamais le revoir. Quel con !

Surprise par la nouvelle, je n'ai d'autre réflexe que de lever mon verre pour saluer la démarche de mon amie.

— Dans le fond, c'est moi qui me laissais faire. Je commençais à me juger moi-même.

— Non ! Tu es toujours en train de te blâmer ! coupe Marie.

— Le fait que tu sois trop aimante et gentille n'excuse pas son comportement, ajouté-je. Tu ne vas pas te taper sur la tête en plus ! Ce n'est pas vrai que c'est la faute de la victime !

— Je suis d'accord. Il me traitait vraiment mal, je mérite mieux et c'est terminé. Je suis consciente que ce n'est pas une bonne personne, du moins avec les femmes. C'est son problème, maintenant. Par contre, j'ai réalisé que je me complaisais dans cette relation. C'était mon prétexte pour ne pas avoir à plonger et à faire de nouvelles rencontres. Soit Justin était dans ma vie, soit j'étais en peine d'amour et non disponible. Cinq années perdues, la tête dans le sable. J'ai beaucoup réfléchi, cette semaine, et j'ai finalement compris que rester accrochée à Justin était le choix facile et paresseux.

— Tu es trop dure avec toi ! s'insurge Marie.

— Non, non, Justin était ma peur du loup !

— Pas ma vieille théorie de fille qui a trop bu ! dis-je en rigolant.

— Mais ce n'est pas fou du tout. J'ai peur de l'intimité. Justin était en quelque sorte mon excuse « auto-handicapante ». Même si je n'étais pas bien avec lui, c'était pour moi moins effrayant que de rencontrer un autre homme et de bâtir de la complicité et de l'intimité avec lui. Avec Justin, ce n'était pas le bonheur, mais au moins j'étais en territoire connu. C'était l'excuse parfaite pour ne pas avoir à me donner un bon coup de pied au derrière ! J'ai donc suivi le précepte de Sara : j'ai déterminé ce dont j'avais envie et j'ai fait les démarches pour l'obtenir !

— Une chose est certaine, tu es resplendissante et en bien meilleure forme que dimanche dernier, dis-je.

— J'ai comme un regain d'énergie ! En plus de larguer Justin, savez-vous ce que j'ai fait ?

Marie et moi lui demandons à l'unisson avec grande curiosité de nous le dévoiler sur-le-champ.

— Eh bien, il y a un certain Jonathan qui travaille à mon bureau et que j'ai toujours trouvé mignon. Je n'avais jamais eu le courage de lui démontrer un quelconque intérêt. J'avais d'ailleurs réussi à me convaincre que c'était une mauvaise idée à cause du bureau. N'importe quoi ! Il ne travaille pas dans mon département, je n'ai jamais affaire à lui dans le cadre de mes tâches et il n'est même pas au même étage que moi.

— Donc ? demande Marie avec impatience.

— Je l'ai croisé à la cafétéria de mon édifice, où il mangeait seul. J'ai sauté sur l'occasion et je me suis assise à côté de lui. Nous avons discuté pendant presque deux heures et il m'a invitée à aller boire un verre, jeudi dernier. J'ai passé une excellente soirée et je vais bruncher avec lui demain ! Je suis tellement excitée ! Il m'a même dit qu'il cherchait une relation à long terme ! En plus, il court aussi et nous prévoyons déjà de nous entraîner ensemble pour le prochain marathon !

Nous félicitons notre amie bruyamment et avec joie. Le sujet de notre conversation dévie, mais je remarque que Marie est plus songeuse qu'à son habitude.

Dimanche 21 août 2011
15 h 30

Les larmes aux yeux, Élise et moi envoyons la main à Marie, qui s'apprête à franchir la sécurité de l'aéroport Pierre-Elliott-Trudeau. Au milieu de la semaine dernière, Marie est venue m'annoncer qu'elle partait pour quelques mois à Los Angeles. Elle nourrissait depuis longtemps le rêve de tenter sa chance dans cette grande ville. Mais elle reportait constamment son projet à plus tard. Elle m'a confié qu'en fait elle avait peur de faire le voyage. Elle ne craignait pas vraiment l'échec, puisqu'elle est assez lucide pour savoir que nombreuses sont les personnes qui convergent vers cette ville et qui reviennent malheureusement bredouilles.

Ce qui l'effrayait davantage était le jugement des autres si elle ne réussissait pas. Elle ne voulait pas passer pour celle qui avait des rêves trop grands pour son talent. Elle s'est bien rendu compte que ce n'était que de l'orgueil mal placé. Marie m'a avoué s'être inspirée d'Élise et moi, qui avons décidé de sortir de notre zone de confort pour aller chercher mieux. Elle s'est alors demandé ce qu'elle attendait pour se jeter elle aussi à l'eau. Tout s'est fait rapidement. Elle ira vivre avec une de ses amies comédiennes qui habite déjà là-bas en appartement avec une autre fille. Son objectif est d'abord de se trouver un agent pour ensuite passer le plus d'auditions possible. Elle aimerait se dénicher un agent pour l'automne. Marie se tourne une dernière fois vers nous et nous lance :

— Vous viendrez me visiter, promis ?

— Oui, c'est promis ! Et n'oublie pas, il faut déterminer ce dont tu as envie et faire les démarches pour l'obtenir ! répliqué-je.

La référence à ma théorie de la peur du loup amuse mon amie, qui disparaît derrière le mur de verre givré en riant.

Lundi 22 août 2011
9 h 08

Je place mes documents sur la table réservée à la partie demanderesse positionnée en biais devant le monticule où siégera le juge. La greffière, installée au pied du monticule, se prépare également en vue du début du procès, dont la durée prévue est de deux semaines.

Derrière moi, Thomas Bergeron est assis dans les sièges mis à la disposition de l'auditoire. J'observe mes mains ; elles sont stables et ne tremblent pas. Pourtant, je suis anxieuse et j'ai un goût de métal dans la bouche. D'ordinaire, je me sens très à l'aise en salle de cour. C'est sans doute le fait d'avoir accepté seule, presque en catimini, un dossier à pourcentage de plusieurs millions de dollars qui me fait angoisser. C'est le tour de Vincent Langelier d'entrer dans la salle. Il est accompagné de plusieurs représentants de sa cliente, Haydas, tous vêtus très sévèrement.

Le contraste avec mon client est frappant. Malgré les efforts déployés, il a toujours l'air d'un bûcheron avec un petit côté savant fou. Ses cheveux grisonnants trop longs sont coiffés maladroitement derrière ses oreilles, sa grosse moustache taillée plus court que d'habitude a un aspect rêche, et son complet brun foncé est sans aucun doute plus vieux que moi.

Un petit groupe franchit la porte de la salle. Il s'agit de mes témoins. Je suis soulagée de tous les voir arriver en avance et je vais les accueillir chaleureusement. Ils prennent ensuite place auprès de M. Bergeron. Vincent s'installe à son tour à l'avant, à une table jumelle à la mienne. Il me salue en souriant. Il affiche un air calme et confiant. Le juge fait son entrée. Je me lève.

Lundi 22 août 2011
17 h 37

Je salue Thomas Bergeron et mes témoins. Je quitte le palais de justice et me dirige vers le stand à taxis. J'éprouve de la difficulté à contenir mon enthousiasme. Je suis très satisfaite de ma première journée de procès. Tout s'est déroulé à merveille. Mes témoins ont fait un travail exemplaire. Mes interrogatoires coulaient bien, j'ai réussi à faire rejeter plusieurs questions formulées par Vincent après des objections, et le juge semblait très réceptif quant à la position de mon client.

Mardi 23 août 2011
9 h 24

J'entre dans la salle de cour plus confiante que la veille. Je remarque que Vincent est accompagné aujourd'hui d'un autre avocat de son cabinet, qui semble avoir une dizaine d'années de plus que lui. Je prends place derrière ma table.

Mardi 23 août 2011
17 h 16

Thomas Bergeron me fait une accolade et je remercie les autres témoins. Une autre superbe journée vient de se terminer. J'exulte, lors du trajet vers mon cabinet. Les commentaires du juge me permettent de croire qu'il considère comme très crédible la version des faits de mes témoins.

Mercredi 24 août 2011
9 h 18

Je pousse avec assurance la porte de la salle de cour. Cette fois-ci, Vincent est accompagné d'un avocat junior, en plus de celui qui s'était ajouté la veille. Je ris dans ma barbe.

Mercredi 24 août 2011
17 h 26

Je jubile en quittant le palais de justice. Je commence sérieusement à croire que je suis partie pour gagner mon procès.

Jeudi 25 août 2011
9 h 21

Il y a maintenant trois avocats assis à la table avec Vincent. En considérant la couleur gris-blanc de la chevelure du nouveau venu, j'en conclus qu'il s'agit fort probablement d'un associé principal. Mon regard croise celui de Vincent. Il lève ses épaules en m'envoyant un petit sourire en coin.

Jeudi 25 août 2011
15 h 50

Je suis debout devant le juge. J'ai mal au ventre et je soupçonne mes oreilles d'être rouge vif. Je me fais passer un savon – le savon du siècle – par le juge :

— Maître Clermont, je commence à penser que vous manquez de jugement.

C'est la troisième fois qu'il utilise le mot « jugement » à mon endroit. Toutes les fois, ce mot a l'effet d'une massue qui s'abat sur ma tête.

— Je vous rappelle que le tribunal n'est pas un cirque, maître. Vous manquez assurément d'expérience.

Un autre nœud se noue dans mon estomac. Je ne sais pas combien de temps encore je pourrai endurer ce genre de commentaires. Je ne peux rien faire pour me défendre. Tout ce que je pourrais répondre nuirait énormément à mon client. Je n'ose pas regarder les avocats de la partie adverse – Vincent étant le pire. J'ai bien trop honte.

— C'est vous qui avez la responsabilité de préparer votre client. Vous ne prenez pas le tribunal au sérieux, maître ? Ce qui vient de se passer est tout à fait inacceptable.

Je suis très consciente que « ce qui vient de se passer est tout à fait inacceptable ». Je n'ai pas besoin de me le faire enfoncer dans la gorge par le juge. J'avais gardé M. Bergeron comme dernier témoin, sachant qu'il s'agissait du plus difficile. Mon interrogatoire s'est déroulé sans heurts et Thomas s'en est bien tiré.

Malheureusement, tout s'est gâché par la suite. Vincent l'a habilement contre-interrogé. Il a parfaitement jaugé son tempérament. Demeurant toujours à la limite de la politesse et de ce qui est permis, il l'a questionné férocement avec la volonté à peine dissimulée de le faire « disjoncter ». Pari gagné. Thomas a littéralement décompensé. Il est passé pour un véritable fou, traitant de voleurs non seulement Haydas et ses représentants, mais également toutes les grandes sociétés et leurs dirigeants. Il est même allé jusqu'à avancer une théorie de conspiration décousue et loufoque.

Le juge a évidemment tenté de le calmer, jetant ainsi de l'huile sur le feu. Thomas a tourné sa rage contre le juge, l'invectivant de toutes sortes d'insultes. Le juge a suspendu l'audience, l'a fait escorter à l'extérieur de la salle et me sermonne depuis ce temps.

— On se revoit demain. J'espère, maître Clermont, que vous allez mieux contrôler votre client. C'est mon dernier avertissement.

Jeudi 25 août 2011
16 h 11

— Je suis vraiment navré, Sara. Je ne sais pas ce qui m'a pris. Penses-tu que je viens de gâcher toutes nos chances ? me demande Thomas, l'air dépité.

— Mais non, mais non, il nous reste du temps pour arranger tout ça.

— Je suis vraiment, vraiment navré.

— On se revoit demain. Tu vas devoir t'excuser auprès du juge.

— Tout ce que tu voudras.

Je lui lance un petit sourire en guise d'au revoir. Je réussis tant bien que mal à cacher mon ressentiment et mon désarroi. Je suis extrêmement déçue, mais j'essaie de ne pas trop le lui montrer. Ça ne sert à rien et il fait déjà tellement pitié. Il sait qu'il a mal agi et que le dommage est fait.

Je regarde Thomas s'éloigner de moi la démarche penaude. Il est de toute évidence mon témoin le plus important et il vient de perdre toute crédibilité. J'ai bien peur que nos chances de succès viennent de s'envoler en fumée. Je n'ai pas le courage d'aller au bureau et décide de rentrer directement chez moi. En me dirigeant vers les taxis, je me retourne et j'aperçois Vincent, plus loin derrière moi, qui me fait signe de la main. Il veut me parler, c'est clair. J'accélère le pas et fais mine de ne pas l'avoir vu. Je m'engouffre dans un taxi. Je ne suis pas du tout disposée à discuter avec lui. Je suis consciente qu'il n'a fait que son travail et qu'il l'a même très bien fait, mais je suis incapable de faire la part des choses en ce moment.

De plus, je suis humiliée et en colère. J'ai la conviction profonde que la cause de Thomas est fondée et que Haydas lui a volé son système. Système avec lequel elle a d'ailleurs fait fortune. Cela me heurte de penser que la justice ne sera pas rendue en raison du tempérament du témoin, et non en étant fondée sur le droit.

Jeudi 25 août 2011
16 h 46

Je me laisse tomber sur mon sofa. Mon angoisse prend complètement le dessus. Je suis dorénavant en colère contre moi-même. C'était écrit dans le ciel que Thomas était un mauvais témoin et un mauvais client. J'en ai même été avertie à plusieurs reprises. J'ai accepté le dossier par orgueil avec la croyance erronée que je pouvais le contrôler. Ce n'était qu'arrogance et stupidité. «Vous avez un regard sincère...» Ce que je peux être conne! Je vais perdre le dossier. Thomas va faire faillite. Je ne sais pas comment je vais pouvoir justifier au bureau toutes les heures investies qui ne seront jamais payées. Ma réputation va être fichue pour un bon moment. Je serai la fille qui a pris un dossier malgré toutes les contre-indications, qui l'a gonflé et qui l'a perdu lamentablement. Me Lambert va tenter de m'étouffer avec mes « grosses couilles ». Et, avec un peu de chance, Thomas va me poursuivre en raison d'une sordide théorie de conspiration.

Alors que je broie des idées noires, j'entends le bruit familier du camion à ordures. Je me lève précipitamment. Je vais en panique chercher mon sac-poubelle dans la cuisine. Je sors en trombe de mon appartement et cours comme une vraie folle derrière le camion afin de le rattraper. En vain. Je m'arrête enfin. Je suis pieds nus sur le coin de la rue avec dans les mains un gros sac vert rempli de déchets. J'ai oublié de sortir mes ordures. J'éclate en sanglots.

Vendredi 26 août 2011
9 h 12

Je me dirige le pas lourd vers la table qui m'est assignée dans la salle de cour. Vincent arrive à son tour. Il est toujours accompagné de ses trois collègues. Étrangement, cela me réconforte énormément. Si la partie adverse juge bon de maintenir une telle présence, c'est qu'elle considère que la cause de mon client n'est pas nécessairement perdue. Si mes adversaires ont une telle opinion, je devrais *a fortiori* penser moi aussi qu'elle n'est pas perdue. Je décide de canaliser mon énergie et d'agir au meilleur de ma compétence. Ce n'est pas le moment de me laisser abattre. Advienne que pourra.

Mercredi 31 août 2011
21 h 32

Je suis installée avec mon portable à ma table de cuisine, qui est ensevelie sous une pile de documents.

Je révise mon plan de plaidoirie. J'ai l'impression qu'il manque quelque chose, mais je n'arrive pas à mettre le doigt dessus. Le procès tire à sa fin. Je n'ai pas d'autre choix que d'admettre que Vincent a fait un excellent travail, ce qui met davantage de pression pour que je présente au juge une plaidoirie efficace et percutante. Pour celle-ci, j'ai essentiellement misé sur le droit. Je pense que je devrais y ajouter plus d'émotions. Comment convaincre le juge ? Pas facile avec un client comme Thomas Bergeron. Après sa frasque de la semaine passée, j'ai encore du mal à admettre que j'ai accepté de défendre sa cause. C'est ça ! Je devrais utiliser les arguments qui m'ont moi-même convaincue de prendre le dossier.

Jeudi 1er septembre 2011
11 h 46

— Monsieur le juge, il est vrai que mon client ne se présente pas bien, ne s'exprime pas toujours de manière correcte et peut se montrer très malcommode.

Je n'ose pas regarder Thomas, assis dans la salle, lors de ce passage de ma plaidoirie, que je présente debout devant le juge.

— Par contre, mon client est un homme honnête et travaillant. Il a d'ailleurs travaillé d'arrache-pied pendant cinq années sur un système en lequel il croyait. Il y croyait tellement qu'il a laissé tomber un très bon emploi pour œuvrer seul, dans son garage, sur son système à billes non conventionnel pendant toutes ces années. Il avait vu juste. Une grande multinationale, la défenderesse Haydas, lui propose de le lui acheter. Au lieu de prendre l'argent immédiatement, il accepte d'aller travailler dans les locaux de la compagnie afin d'adapter son système à la machinerie spécifiquement vendue par cette dernière. Il signe alors un contrat prévoyant un salaire annuel de 65 000 dollars et le versement d'une somme équivalant à un pour cent des ventes de machineries qui incorporeront son système ou une partie importante de celui-ci. Après un an de collaboration, Haydas le licencie. Peut-être avait-elle de bons motifs pour le faire, mon client ne possédant pas les meilleures aptitudes sociales. Par contre, Haydas décide d'incorporer le système de mon client dans sa machinerie, et ce, sans aucune compensation financière pour mon client, en contravention directe avec ses engagements contractuels. Mon client se trouve alors dépouillé de l'objet de son dur labeur. Coup de théâtre, le système s'avère performant au-delà de toutes les attentes et Haydas vend plusieurs milliers de machines l'incorporant, faisant ainsi une véritable fortune.

« Pour mon client, l'histoire est tout autre : après cinq années de labeur seul et acharné, une année de travail chez Haydas et trois années de litige – neuf ans plus tard –, mon client a toujours les mains vides et rien devant lui. L'ingénieur Pierre Duval, notre expert, est venu expliquer au tribunal que le système de mon client était une pure innovation et que rien n'existait de semblable sur le marché avant qu'il ne le développe. Si cela n'avait pas été le cas, nous pouvons croire que Haydas ne lui aurait jamais offert 750 000 dollars pour l'acquérir. Selon Pierre Duval, il ne fait aucun doute que c'est le système conçu par mon client que Haydas utilise dans sa machinerie.

« De son côté, la défenderesse a fait entendre devant cette cour quatre de ses représentants et trois témoins experts. Tous ces témoins étaient bien mis et s'exprimaient dans un langage impeccable. En revanche, aucun d'entre eux – ni même les experts de la défenderesse – n'a été en mesure d'affirmer catégoriquement que Haydas n'avait pas intégré le système de mon client à sa machinerie. Ils ont plutôt témoigné à l'effet qu'il ne s'agissait plus du même système, à la suite des améliorations qui y furent apportées. Monsieur le juge, un système amélioré comprend nécessairement l'ancien système, ou du moins une partie importante de ce dernier. Je vous relis le paragraphe 4.1.2 du contrat entre mon client et la défenderesse, pièce D-3 : *Dans l'éventualité où Haydas incorpore à la Machinerie le Système ou une partie importante du Système, Haydas s'engage à verser à Bergeron un pour cent (1 %) des Revenus bruts des ventes de ladite Machinerie.*

« Les témoins de la défenderesse ont insisté fortement sur le caractère particulier, voire difficile, de mon client. Toutefois, cela n'a aucune pertinence dans le présent litige. La seule question est de savoir si Haydas utilise le système de mon client ou une partie importante de celui-ci. À la lumière du témoignage de mon client, à la lumière de ceux des experts, y compris ceux de la défenderesse, et à la lumière d'une simple lecture des plans, cela ne fait absolument aucun doute.

Ces mots concluent ma plaidoirie. Je voulais absolument terminer sur un passage plus « émotif ». Je me sens vidée. Je m'assois. Le juge suspend l'audience pour le lunch. Ce sera à Vincent de plaider, cet après-midi.

Jeudi 1ᵉʳ septembre 2011
17 h 20

Je viens de quitter Thomas Bergeron sur le perron du palais de justice et je marche vers mon bureau. J'ai besoin de prendre l'air, après les deux semaines de procès qui viennent de se terminer. Pas moyen pour Vincent d'être médiocre, à l'occasion… Nooon! Il a présenté une excellente plaidoirie. Les dernières paroles du juge me hantent : « Vous pouvez vous attendre à recevoir mon jugement dans un court délai. » Un jugement rapide dans un dossier de plusieurs millions de dollars ? J'essaie d'évaluer ce que cela peut signifier. Sûrement rien de bon pour moi et mon client. J'ai de la difficulté à envisager qu'un juge condamne rapidement une entreprise à verser plusieurs millions de dollars. Une chose est certaine, sa décision est prise. Une voiture de taxi s'arrête à ma hauteur et la fenêtre du passager descend. C'est Vincent.

— Sara, tu rentres à pied ?

— Oui, j'ai besoin de me dégourdir les jambes.

— Embarque !

— Non, non, j'ai envie de marcher.

— Viens, je t'invite à aller boire un verre !

— Je ne suis pas…

— Le procès est terminé, ça va nous faire du bien de décompresser. Allez, monte !

Jeudi 1ᵉʳ septembre 2011
19 h 43

J'en suis à mon troisième verre de vin. Vincent et moi bavardons bruyamment en nous partageant une grande assiette d'entrées froides. Il avait raison, ça me fait un bien immense de me détendre. Je suis soulagée de constater que le procès ne s'est pas déroulé comme Vincent l'avait prévu. Du coup, la situation se trouve dédramatisée. Les patrons de Vincent et sa cliente croyaient qu'il ne s'agissait pas d'une poursuite bien sérieuse en raison des procédures mal rédigées et du tempérament de Thomas Bergeron. Les premières journées de procès ont littéralement fait paniquer sa cliente. Vincent a trouvé plutôt vexant que d'autres avocats se joignent à lui en cours de route. Je lui ai mentionné que je n'étais pas encore certaine de lui pardonner d'avoir fait « disjoncter » mon client en contre-interrogatoire. Je lui ai demandé ce qu'il pensait du commentaire du juge à l'effet qu'il prévoit rendre un jugement rapide. Il répond ne pouvoir en tirer aucune conclusion, mais que le juge doit déjà avoir son opinion sur le dossier.

La conversation dévie sur des sujets beaucoup plus plaisants que le procès qui vient de se terminer. Je finis un quatrième verre. J'ai la tête qui tourne. Un genou de Vincent touche un des miens, ce qui crée en moi un drôle d'effet. Je lève les yeux. Vincent me fixe intensément. J'ai l'impression d'être avalée tout entière par son regard. Je me sens déstabilisée. Je jette un coup d'œil nerveux sur l'écran de mon téléphone. Lorsque j'ose le regarder à nouveau, Vincent a retrouvé son naturel et son attitude décontractée. Je dois sûrement m'inventer des histoires.

Depuis ma rupture avec Samuel, je suis en manque d'affection, et mon imagination a tendance à s'emballer pour des riens. Vincent me raconte avec enthousiasme et passion un incident cocasse qui lui est arrivé à la cour. Il rit de bon cœur de sa propre anecdote. J'ai envie de l'embrasser. C'est certainement l'effet de l'alcool. Quelle mauvaise idée! La dernière chose dont j'ai besoin est de créer un malaise entre lui et moi.

— Je commence à être soûle. Il est temps que je rentre avant de faire une folle de moi.

— J'ai beaucoup de difficulté à imaginer ça, répond-il gentiment.

— C'est étonnant de la part de quelqu'un qui a déjà eu ma petite culotte dans la main, dis-je en me levant.

Vincent éclate de rire et demande l'addition.

8

J'aime ça, moi, le latin !

Lundi 10 octobre 2011
9 h 07

*D*es hommes effectuent de nouveau des travaux sur le toit de l'édifice adjacent. Et moi, j'éprouve encore des problèmes de concentration. Plus d'un mois est passé depuis la fin du procès de Thomas Bergeron. J'essaie d'y penser le moins possible en raison du stress que cela m'occasionne. J'ai l'impression de vivre comme un prisonnier en sursis, dans l'attente de la décision du juge. Personne au bureau ne m'a encore questionnée sur mes heures du mois d'août, mais ça ne saurait tarder.

Marie est de retour à Montréal. Par un drôle de hasard, elle a fait la rencontre d'un réalisateur québécois à Los Angeles. Il lui a offert un rôle magnifique dans un film réalisé en coproduction avec la France. Elle est aux anges. Élise vit également sur un nuage. Elle est évidemment follement et profondément amoureuse de Jonathan. Elle a trouvé un amant formidable, mais également un partenaire d'activités plein air. Élise désespérait de plus en plus devant les refus systématiques de Marie et moi de l'accompagner à toute activité pouvant occasionner le besoin d'uriner dans le bois. Je suis ravie pour mes amies. Malheureusement, je ne prévois pas un dénouement aussi heureux pour moi-même.

Lundi 10 octobre 2011
17 h 58

J'attends impatiemment sous le porche de mon appartement. J'ai froid aux pieds. Je suis en robe de soirée et je me suis entêtée à chausser des souliers ouverts. Je pourrais attendre à l'intérieur, mais je suis trop excitée. Marie doit passer me prendre accompagnée d'Élise. Elle a organisé une soirée surprise pour nous trois. Elle m'a téléphoné en fin d'après-midi pour m'annoncer avec enthousiasme qu'elle avait enfin planifié un événement où nous pourrions enfiler nos plus belles tenues. Elle s'est excusée du fait que son initiative était un peu tardive et à la dernière minute. Elle ne se doute pas à quel point elle tombe bien. J'ai tellement besoin de me changer les idées et de m'amuser, avant la disgrâce malheureusement beaucoup trop probable. Un taxi s'immobilise devant moi. Élise crie avec gaieté mon nom par la fenêtre ouverte. Je vois qu'elle est dans le même état d'esprit que moi.

Je monte avec empressement dans la voiture. Je remarque que Marie a enfilé sa robe préférée, une robe cocktail rouge très ajustée. Malgré mon insistance, elle refuse de me dévoiler notre destination. Nous arrivons dans le quartier Côte-des-Neiges. Ma curiosité est de plus en plus grande. Nous empruntons une rue familière, celle où nous avons déjà habité toutes les trois. La voiture s'immobilise devant le *Super Quilles*. Marie nous indique que nous sommes arrivées. Étonnées, Élise et moi la suivons dans la salle de quilles. L'endroit n'a pas du tout changé ; même l'odeur de fumée de cigarette semble avoir résisté à la législation interdisant de fumer dans les lieux publics. Marie nous invite à passer au comptoir pour nous procurer des chaussures adaptées. Nous obéissons en riant. La bonne vieille Sylvie est toujours là et nous accueille avec le même air bête. Je suis alors soudainement envahie par un sentiment de réconfort. J'ai envie d'embrasser Sylvie et de la remercier pour son attitude inchangée qui me renvoie à une époque où je vivais jovialement avec mes deux amies. Une époque où j'avais espoir en la vie.

Je réalise tout à coup que j'ai toujours cet espoir et que je me dois d'être plus solide et plus confiante. Sylvie me dévisage ; elle n'est pas habituée aux excès de bonheur. Elle me tend une paire de chaussures d'un air méfiant et semble soulagée lorsque je m'éloigne du comptoir. Je rejoins Élise et Marie, assises autour de la petite table adjacente à notre allée de quilles « habituelle ». Elles finissent d'enfiler leurs chaussures. Je remarque qu'un grand plateau de sushis, des verres en plastique et une bouteille de champagne sont à notre disposition sur la table. Marie distribue les verres et nous sert. Nous trinquons joyeusement. Je prends une gorgée du vin pétillant et demande à Marie avec incrédulité :

— Sylvie t'a donné la permission d'apporter de la nourriture et de l'alcool ?

— Je lui ai donné 50 dollars !

Nous éclatons alors de rire. Du même rire de gamine que nous avons si facilement lorsque nous nous retrouvons toutes les trois. Élise s'empare d'une boule et s'élance avec adresse en robe bustier et chaussures de sport. Elle fait un abat. Nous rions de plus belle. Seules mes amies possèdent le pouvoir presque magique de me faire oublier tous mes soucis.

Mardi 11 octobre 2011
1 h 54

Un bruit de vibration intense me tire violemment de mon sommeil. Il s'agit de mon téléphone cellulaire, dont le son est amplifié par le contact de l'appareil avec le métal de la base de ma lampe de chevet. Je le saisis pour faire cesser ce qui me semble un bruit d'enfer. Je réponds. La voix, pourtant familière, me paraît venir d'un autre monde, d'une autre époque. C'est Philippe. Mon cœur se serre, je suis heureuse qu'il m'appelle. J'espérais qu'il le ferait pour me dire que je lui manque. Je perçois qu'il parle avec difficulté. Il m'explique qu'il ne se sent pas bien, qu'il angoisse. Il est perdu, seul dans son appartement. Il travaille sur un autre projet de restaurant, il a peur de se planter. Je l'écoute sans rien dire. Il finit par me demander d'aller le rejoindre. Il veut me voir. Il a besoin de moi. Je suis la seule qui le comprend vraiment. Le sentiment d'espoir qui venait tout juste de naître en moi se transforme soudain en colère. J'ai envie de lui crier après. Je l'ai quitté parce qu'il ne s'occupait pas de moi. Il m'a laissée partir sans se battre, sans aucune tentative de me reconquérir. En presque cinq mois de séparation, il ne me donne aucun signe de vie, aucun message pour me dire qu'il regrette, que j'ai eu tort de le quitter, qu'il veut travailler la relation, qu'il peut faire mieux.

Et voilà qu'il m'appelle en plein milieu de la nuit parce qu'il fait une crise d'angoisse et qu'il a besoin de moi. Encore *lui* qui veut recevoir, et *moi* qui devrais donner. Je réalise soudain que je suis chez moi, dans mon appartement, et que je n'ai aucune obligation envers lui. Je me rends compte que je n'ai pas à m'occuper de lui, que ce n'est plus ma responsabilité. Je me sens étrangement réconfortée de mon choix de l'avoir quitté. Je n'ai plus envie de lui crier après. Je ne peux pas lui reprocher d'être ce qu'il est, avec ses limites.

Je sens alors la tristesse m'envahir. La séparation est bel et bien concrète, il doit trouver quelqu'un d'autre pour l'aider :

— Je suis désolée, Philippe, je ne peux pas venir te voir. Je ne suis plus capable de te venir en aide. C'est trop dur pour moi. Il faut que tu trouves quelqu'un d'autre. Tu peux appeler Ludo ou Marc. Sinon tu peux appeler ta mère, je pense qu'elle serait contente que tu te confies à elle.

— Juste pour cette fois-ci, tu nous dois bien ça, non ?

— Non, je ne veux plus avoir de peine. S'il te plaît, appelle quelqu'un d'autre. Bonne nuit, Philippe.

Je dépose le téléphone et reste assise un moment dans mon lit.

Mardi 11 octobre 2011
10 h 32

Mon assistante m'informe qu'il y a une dame pour moi, au téléphone, alors que je marche nonchalamment dans le corridor avec un café. J'entre dans mon bureau pour prendre l'appel. C'est la secrétaire du juge qui siégeait dans l'affaire Bergeron. Le jugement est prêt et disponible au bureau du greffe. Je me lève et me dirige comme un automate en direction du palais de justice.

Mardi 11 octobre 2011
10 h 51

Je suis assise sur un banc dans un parc situé près du palais de justice. Je tiens l'enveloppe contenant le jugement. J'ai l'impression qu'elle me brûle les doigts. Je me décide enfin et l'ouvre. J'ai très chaud et j'entends chaque battement de mon cœur comme s'il s'agissait de coups de tambour. J'ai le jugement. Je tourne fébrilement les pages afin de me rendre directement à la dernière du document pour prendre connaissance du dispositif. C'est la seule chose qui m'intéresse en ce moment. Je tremble et j'éprouve de la difficulté à lire. J'y suis: «Pour ces motifs, le Tribunal: Accueille la requête introductive d'instance...» J'en ai le souffle coupé et j'ai du mal à croire ce que je lis. «... Condamne la défenderesse Haydas Corp. à payer au défendeur Thomas Bergeron la somme de 6 861 250 dollars avec intérêts...» Je cligne des yeux. Tous mes muscles se relâchent. Je vis un véritable moment de grâce. Après quelques minutes, j'entreprends la lecture du jugement de trente-huit pages, toujours avec un sentiment exquis d'extase.

Mardi 11 octobre 2011
11 h 26

Je frappe avec obstination et beaucoup de force à la fenêtre de la porte de la maison du frère de Thomas Bergeron. Ce n'est pas très conventionnel, pour un avocat, de se rendre au domicile de son client, mais je n'ai pu m'en empêcher. J'aperçois Thomas, au bout du corridor, qui se dirige lentement vers l'entrée pour m'ouvrir. Il me reconnaît et accélère le pas. Il ouvre la porte en me demandant si nous avons reçu le jugement. Je lui tends le document. Il est trop nerveux pour le lire et me prie de lui annoncer la nouvelle. Je l'informe alors que nous avons gagné. Il me demande combien. Je lui réponds: «Tout, 6 861 250 dollars» et lui pointe le passage pertinent. Il s'assoit dans l'escalier et se met à sangloter.

Surprise, je pose une main sur son épaule et lui demande si ça va. Il me regarde, se lève et me prend dans ses bras pour me faire tournoyer dans les airs en laissant échapper un rire gras et sincère. Il me dépose, attrape délicatement mes mains et me remercie en effectuant une légère révérence. Après avoir repris un peu ses esprits, il me signifie son intention de lire le jugement. Je lui mentionne qu'à mon avis le jugement est très bien motivé et difficilement attaquable en appel.

— Haydas ne me versera pas l'argent s'ils décident d'aller en appel? s'enquiert Thomas.

— C'est exact.

— Et nous pouvons présumer qu'ils tenteront leur chance?

— J'ai une petite idée, laisse-moi faire. Je te donne des nouvelles bientôt.

Thomas me fait chaleureusement la bise avant que je le quitte. Il me lance:

— Sara, même si nous perdons en appel, je serai un homme heureux. Le seul fait qu'un juge pense que j'ai raison me comble de bonheur!

Mardi 11 octobre 2011
15 h 44

Je me dirige vers le bureau d'Yves St-Onge avec à la main un chèque certifié de 6 861 250 dollars. Le morceau de papier semble peser une tonne. J'ai réussi à négocier avec Haydas pour qu'elle verse la somme immédiatement et renonce à porter l'affaire en appel. Le problème pour Haydas réside dans le fait que ses ventes de machineries, pour les mois d'avril à septembre 2011, n'ont pas été comptabilisées dans la poursuite et que nous avions réservé nos droits afin de pouvoir les réclamer.

De plus, Haydas continue de vendre de la machinerie utilisant le système de Thomas Bergeron, et ces ventes lui sont très lucratives. Les dirigeants savent que si l'entreprise prend le risque d'aller en appel et qu'elle perd, elle devra débourser la somme du présent jugement ainsi que un pour cent des ventes pour les mois non comptabilisés de 2011 et de toutes les ventes futures. Pour sa part, en contrepartie de la réception du paiement le jour même, Thomas Bergeron s'engage à ne pas réclamer d'autres sommes. J'ai discuté avec Thomas afin qu'il comprenne bien qu'il renonce à des montants qui pourraient s'avérer très importants. Égal à lui-même, il m'a expliqué que cela n'avait jamais été une question d'argent et qu'il aurait été heureux même avec seulement les 750 000 dollars du début. Il veut fermer le dossier et profiter de la vie.

Je dépose le chèque devant Yves St-Onge. Il l'observe perplexe :

— Presque sept millions payables au compte en fidéicommis du bureau ?

— Oui. Je viens de gagner un procès et c'est la somme que doit verser la défenderesse à mon client.

— Quel dossier ?

— *Thomas Bergeron c. Haydas Corp.*

— C'est le dossier de qui ?

— C'est *mon* dossier.

— *Ton* dossier ?

— Oui. C'est un petit dossier que j'ai pris à pourcentage.

— À pour…

Yves ne termine pas sa phrase et met sa main sur sa bouche. Il m'agrippe par le bras et me traîne à l'extérieur de son bureau.

Mardi 11 octobre 2011
16 h 49

Je crois bien que chacun des avocats du bureau est venu me porter un toast en guise de félicitations. Après que je lui eus fait la grande annonce, Yves m'a emmenée à la comptabilité afin qu'on s'occupe d'encaisser le chèque le plus rapidement possible. Ensuite, il m'a promenée dans tous les bureaux du cabinet pour répandre la bonne nouvelle. Il était encore plus excité qu'une adolescente s'apprêtant à rencontrer sa vedette pop préférée.

Il a organisé en un temps record un vin d'honneur dans le hall. Ayant autorisé le dossier à pourcentage, Me Claude Lambert s'approprie une partie du mérite. Il parle fort et trinque joyeusement. Je suis enchantée d'être devenue pour un instant la fierté du bureau. De plus, je suis ravie d'être responsable d'un rare épisode où la majorité de mes collègues semblent heureux de travailler ensemble. Toutefois, la véritable raison derrière mon sourire béat est que j'ai fait mes calculs. Mon cabinet touchera 2 058 375 dollars de la somme versée à Thomas Bergeron. Selon les règlements de mon cabinet, j'ai droit à vingt-cinq pour cent, soit : 514 593,75 dollars. J'ai envie de crier et de courir partout en levant les bras. Je garde mon énergie pour plus tard. J'ai invité Marie et Élise à sortir. Je meurs d'impatience d'aller les rejoindre pour lâcher mon fou.

Mardi 11 octobre 2011
17 h 13

Je sors de l'ascenseur et me dirige vers les grandes portes de l'immeuble. J'ai hâte de rentrer chez moi pour me changer – et crier en courant et en levant les bras, à défaut d'avoir pu le faire au bureau. J'ai donné rendez-vous aux filles à 20 heures dans un chic bar à vin qui sert également des repas. J'ai très envie de fêter et de gâter mes amies. À travers le mur vitré du resto-pub de l'édifice, j'aperçois Vincent, assis seul au bar, l'air déconfit. Il n'a de toute évidence pas passé la même journée que moi. Je décide d'aller le rejoindre et fais un effort afin de maîtriser ma gaieté débordante.

— Bonsoir, Vincent, dis-je en prenant place à ses côtés.

— Sara… Tu n'es pas ma personne préférée, en ce moment.

— Je comprends. Je peux m'en aller, si tu veux.

— Non, non, reste. Ça me sert à rien de t'en vouloir…

— Tu es ici depuis longtemps?

— Depuis deux grandes bières. Tu sais, je t'avais dit que je n'avais pas apprécié que mon bureau décide d'assigner d'autres avocats au dossier, lors du procès. Eh bien, je me ravise. Heureusement que je n'ai pas perdu ce dossier seul. Plusieurs avocats, ça signifie plusieurs personnes à blâmer. Nonobstant, la plus grande part de l'opprobre me revient.

— Ça ne devrait pas, tu as fait un excellent travail. Je ne vois pas ce que tu aurais pu faire de plus.

— C'est toi qui as fait un excellent travail. Moi, j'ai fait perdre un procès de six millions de dollars à un gros client régulier. Pathétique…

— Arrête, Vincent. La vérité, c'est que Haydas utilise vraiment le système de Thomas Bergeron. Comment aurais-tu pu changer ça?

En guise de réponse, il avale une grande gorgée de bière. Il a l'air tellement misérable.

— Tu ne semblais pas si affecté au téléphone, cet après-midi, lorsqu'on a négocié le paiement.

— Il faut croire que, tout comme toi, je sais bien cacher mes émotions.

Je remarque que des avocats du bureau de Vincent sortent de l'ascenseur et traversent le grand hall de l'édifice pour se rendre à la sortie.

— Ce n'est pas une très bonne idée de boire seul au bar de l'immeuble de ton bureau.

— Je suis ouvert aux suggestions, me dit-il en me regardant droit dans les yeux.

Je jette un coup d'œil à ma montre. Ce n'est pas grave si je n'ai pas le temps d'aller me changer. J'irai rejoindre les filles directement au bar à vin.

— Viens, je t'emmène dans un endroit plus joyeux.

J'ai réussi à entraîner Vincent dans un sympathique bar perché au dernier étage d'un grand hôtel de Montréal. La vue y est absolument spectaculaire. Vincent retrouve rapidement sa bonne humeur habituelle. Je suis impressionnée par sa vivacité d'esprit et son humour. Nous nous amusons beaucoup et discutons de tout et de rien.

— Mais non, voyons! C'est l'arrêt *Bilodeau c. Bergeron* qui énonce le principe que la Charte ne crée pas un système parallèle de responsabilité civile, dis-je pour la troisième fois.

— Tu te mêles dans tes jugements de la Cour suprême. *Bilodeau c. Bergeron* traite de la responsabilité des intervenants en construction. C'est le jugement *Béliveau St-Jacques c. Fédération des employés des services publics* qui parle de la Charte.

— C'est faux!

— Sara, j'ai plaidé *Béliveau St-Jacques* il n'y a pas longtemps.

— Tu as une très mauvaise mémoire alors, dis-je en plaisantant.

— D'accord, on n'a qu'à vérifier, répond Vincent en tirant son téléphone intelligent de sa poche.

Je pose ma main sur le téléphone de Vincent afin de l'arrêter. Certaine de mon coup, je lui demande avec défi:

— Que parions-nous?

— Je ne sais pas... l'honneur?

— Non, c'est trop facile! Tu as peur de te tromper?

— Que veux-tu parier?

— Celui qui perd devra aller danser en robot sur la piste pendant toute une chanson. Qu'en dis-tu?

— C'est toi qui l'auras voulu! me répond-il.

Après une très courte recherche sur Internet, Vincent tombe sur un résumé de l'arrêt *Béliveau*

St-Jacques et me tend le téléphone, satisfait. J'ai de la difficulté à croire ce que je lis, mais je n'ai pas d'autre choix que de me rendre à l'évidence : Vincent a raison et j'ai tort. Je ne comprends pas, j'étais tellement convaincue.

— Je vais être bon joueur. Je laisse tomber la conséquence, à la condition que tu admettes que je suis le dieu du droit, m'offre Vincent, un peu trop content d'avoir eu raison.

— Jamais ! rétorqué-je, trop fière malgré le fait que je n'ai aucune envie d'aller danser.

Je me dirige vers la piste. Nous sommes en plein 5 à 7 et celle-ci est évidemment déserte. Je commence à danser – si on peut appeler cela danser. Je réalise que je suis absolument incapable d'exécuter la danse du robot. J'ai plutôt l'air d'une malade qui a abusé des psychotropes. Mes mouvements sans rythme sont dépourvus de toute élégance. Impossible pour moi de rester digne avec une telle prestation.

J'attire l'attention d'un groupe d'hommes et de femmes d'affaires qui affichent des airs incertains. Quel désastre ! Vincent, lui, rit aux éclats. Je sens mon visage rougir. Je suis mortifiée. Dans un élan de solidarité, Vincent se lève et vient me rejoindre. À mon grand étonnement, il exécute la danse du robot à la perfection. Je me détends et ris à mon tour. Lorsqu'il s'arrête de danser à la fin de la chanson, le groupe de spectateurs l'applaudit. Il les salue et m'agrippe par la taille pour me ramener vers le comptoir du bar. Il me regarde en souriant.

Je réalise alors vraiment à quel point il me plaît. Même lorsque nous étions des parties adverses, je prenais plaisir à être en sa présence. Je voudrais bien le voir davantage, dans un autre contexte. J'ai envie de lui demander si c'est possible. Mais j'aimerais mieux que la proposition vienne de lui. Sa main est encore sur ma hanche. Ses gestes, son toucher et sa proximité m'intimident. J'ai l'impression de perdre mes moyens alors que ça ne me ressemble pas du tout. Il se penche légèrement vers moi et me dit :

— Une chose est certaine, Sara, tu ne donnes pas ta place pour argumenter !

Je ressens un pincement douloureux dans ma poitrine. Sa remarque me ramène aux reproches de Philippe et de Samuel. Je n'ai absolument aucune envie de me sentir rejetée encore une fois. Je veux soudain m'en aller et refouler tous les sentiments que j'ai pu entretenir à son endroit.

— Je dois partir, Vincent, dis-je de manière un peu trop sèche.

— Est-ce que j'ai fait…

— Non, non. Je vais être en retard. J'ai rendez-vous avec mes amies.

— Je vais te conduire.

— Ce n'est pas nécessaire, réponds-je en agrippant mon manteau.

Vincent me remercie pour l'invitation alors que je lui fais la bise. Je le quitte précipitamment, le laissant perplexe, seul au bar.

Vendredi 14 octobre 2011
9 h 23

Je commence ma journée en prenant mes nombreux courriels. Ma boîte de réception déborde de messages de félicitations. Ça me fait chaud au cœur. Thomas est le grand responsable de cette rafale de bons mots. Les médias se sont emparés avec engouement et avidité de son histoire. En effet, presse écrite, émissions de radio, bulletins de nouvelles télévisés et talk-shows, tous s'en donnent à cœur joie en comparant son combat à celui de David contre Goliath.

Depuis mardi, Thomas est invité sur toutes les tribunes. Hier soir, je l'ai aperçu sur le plateau d'une émission très populaire. Malgré sa nouvelle fortune, il est toujours accoutré de manière aussi négligée. Il racontait qu'il n'espérait recevoir assez d'argent que pour dédommager son frère et l'épouse de ce dernier pour l'avoir hébergé et nourri pendant deux ans. Après la décision du juge, en plus d'avoir payé son loyer rétroactivement, il a pu rembourser complètement leur hypothèque. Il attire une sympathie monstre. Lors de chacune des entrevues auxquelles il participe, il en profite pour faire l'éloge de mes capacités juridiques. L'ingratitude n'est assurément pas l'un des défauts de Thomas. L'attitude des avocats associés à mon égard a changé de manière radicale. Ceux qui ne s'intéressaient guère à moi semblent désormais me considérer. Je suis maintenant invitée à toutes les réunions et on pense à moi systématiquement pour les dossiers houleux. J'ai enfin l'impression d'avoir trouvé ma place au sein de mon cabinet. Quel agréable sentiment de satisfaction! Je suis heureuse.

Vendredi 14 octobre 2011
10 h 18

Mon adjointe me tend un document transmis par télécopieur. J'en prends connaissance. Mes clients seront déçus. Il s'agit d'un avis du défendeur, le fournisseur ayant fait défaut dans le dossier d'Écomodèle, selon lequel il vient de faire cession de ses biens au syndic de faillite. Dans les faits, cela signifie que mes clients ne pourront pratiquement rien récupérer de la somme réclamée. Je prends rendez-vous avec eux pour leur expliquer la situation.

Vendredi 14 octobre 2011
14 h 42

Antoine Simard est de retour dans la salle de conférences de mon bureau, accompagné de ses deux associés, Jean-François et Louis. Ils viennent d'encaisser la nouvelle. Ils sont encore plus désarçonnés que je ne l'avais imaginé.

— On n'aurait jamais dû payer d'avance. Quelle erreur! lance Antoine en se laissant tomber dans son fauteuil. Il nous disait qu'il avait besoin des sommes en raison de la difficulté à obtenir des matériaux écologiques…

— Vous ne pouviez pas savoir. Il ne vous avait jamais fait faux bond auparavant, dis-je afin de le réconforter.

— Le problème, c'est qu'on n'a pas les moyens de perdre 150 000 dollars. On espérait en récupérer au moins une partie. On était même prêts à régler pour moins. Ça nous arrive au pire moment. On doit absolument terminer la construction de nos prototypes afin de décrocher le contrat avec Clear Fountain Resorts. Notre chantier est arrêté, on perd de l'argent chaque jour, il fait de plus en plus froid et la banque a suspendu nos marges de crédit. On a besoin de liquidités.

— On est à 100 000 dollars d'obtenir un contrat de plusieurs millions, ajoute Jean-François avec découragement.

Je suis sincèrement désolée pour mes clients. Je considère qu'il serait terriblement dommage qu'ils ne puissent terminer de construire leurs prototypes en raison d'un fournisseur ayant fait faillite. Je suis persuadée qu'ils obtiendront le contrat tant convoité s'ils réussissent à terminer à temps. Lors de la préparation des procédures pour leur dossier, j'ai eu l'occasion de prendre connaissance des livres de la compagnie, des plans des prototypes et même de leur plan d'affaires.

Écomodèle est une entreprise sérieuse qui propose un produit de qualité, innovateur et orienté vers l'avenir. De plus, les trois associés sont extrêmement bien organisés et à leur affaire. Je n'ai jamais attendu plus d'une heure un retour d'appel ou de courriel, et j'ai toujours obtenu sur-le-champ tous les documents requis, dans un ordre impeccable. Ils sont exactement le genre d'entrepreneurs que j'admire : jeunes, travaillants et fonceurs.

Vendredi 14 octobre 2011
17 h 48

Je m'apprête à quitter le bureau et classe mes dossiers. Je n'ai pas été en mesure de chasser Écomodèle et ses trois associés de mes pensées. J'ai la conviction qu'ils pourraient faire fortune avec leurs si beaux produits. Je leur souhaite de se trouver du financement. Mon téléphone sonne alors que j'enfile mon manteau. Je consulte l'afficheur, il s'agit justement d'Antoine Simard. Ce dernier me dit qu'il a oublié plus tôt de me demander à combien s'élevait la dernière facture pour mes services juridiques. Il me demande ensuite à la blague s'il peut me payer en actions d'Écomodèle. Je lui réponds que c'est impossible, puisque les honoraires sont dus au bureau et non à moi personnellement. La plaisanterie d'Antoine me laisse toutefois songeuse.

Samedi 15 octobre 2011
11 h 17

Ma mère fait le décompte des placards du joli condo situé dans le Mile End que je visite pour la troisième fois, mais cette fois accompagnée de mes parents et de mon frère. Lorsque je leur ai mentionné que j'avais l'intention de faire une offre sur un condo, mes parents ont fortement insisté pour le visiter d'abord. Ce sont eux qui ont invité mon frère. J'imagine qu'ils considèrent qu'il s'agit d'une sortie familiale. « Il y a quand même beaucoup de rangement ! » lance pour la cinquième fois ma mère, rassurée. Pour elle, il s'agit d'un élément crucial dans le choix d'un logement. Depuis qu'elle réalise le sérieux de ma démarche, elle fait tout pour me convaincre d'acheter à Laval, là où les maisons ont énormément de rangement :

— Pour le même prix, tu pourrais avoir trois fois plus grand !

— Je n'ai pas besoin de trois fois plus grand...

— Pense à tout le rangement que tu pourrais avoir !

— Je n'ai presque rien à ranger !

— Ne t'inquiète pas pour ça, nous irons magasiner.

— Hein ?

— Et tu pourrais avoir un garage, renchérit mon père.

— Je n'ai pas de voiture !

— Si tu déménages à Laval, tu vas avoir besoin d'une voiture, réplique mon père.

— Mais je n'ai pas envie de vivre à Laval !

— Qu'est-ce que tu as contre Laval ? me demande mon père en fronçant les sourcils.

— Rien du tout, dis-je rapidement en sachant que je ne dois pas m'aventurer sur ce sujet avec lui.

J'en profite pour faire encore le tour du condo. Il me plaît. Je croise mon frère, qui lève son pouce en guise d'approbation. Mon père tapote le mur qui sépare le salon de la salle à manger en disant tout haut et avec aplomb : « C'est du solide ! » Je n'ai pas le cœur de lui dire qu'il ne s'agit pas d'un mur de soutien. Mon père travaille comme fonctionnaire à la Ville de Laval à titre d'archiviste. La seule expérience qu'il détient en matière d'immobilier est l'achat avec ma mère de la maison familiale, il y a plus de trente ans. Mon père semble être satisfait :

— Je pense que tu fais une bonne affaire. Investir ton argent dans l'immobilier, c'est un placement sûr ! Les temps sont durs et ce n'est pas le moment de prendre des risques !

— Oui, c'est vrai... Mais si je place tout mon argent dans un condo, j'ai peur de perdre des occasions d'affaires...

— Il vaut mieux être prudente que désolée !

L'agent immobilier s'approche de moi et coupe ma conversation avec mon père. Il me demande si je veux faire une offre. Je suis indécise. Je pense encore à Éco-modèle. Je regarde mon père. Il sent mon hésitation et change de ton :

— Sara, c'est toi qui décides. Fie-toi à ton jugement. Tu devrais savoir maintenant qu'il est bon.

— C'est vrai, et on est tellement fiers ! s'écrie ma mère, qui a l'étrange capacité de suivre une conversation alors qu'elle est dans une autre pièce – ce qui me rendait complètement folle lorsque j'étais adolescente.

— Alors, madame Clermont ? s'enquiert l'agent.

— Je dois y penser encore, lui dis-je, voyant qu'il ne peut cacher une légère déception.

J'entends un gloussement qui provient de la chambre principale. C'est ma mère qui vient de tomber sur la garde-robe *walk-in*. Tellement de rangement ! Je pouffe de rire :

— Qui veut aller bruncher ? C'est moi qui invite !

Samedi 15 octobre 2011
17 h 53

Je presse le pas et resserre mon manteau. La tempé-rature a chuté subitement avec le crépuscule. Après le brunch avec mes parents, j'ai décidé de marcher afin de m'éclaircir les idées. Je n'arrive pas à prendre de déci-sion. Je me sens angoissée. J'ai la sincère conviction que je devrais investir dans Écomodèle, mais l'ampleur du risque me donne le vertige. Le vertige et la nausée. J'ar-rête de marcher et je prends de grandes respirations. Ce n'est pas vrai que je vais être malade. Je me trouve ridi-cule et ris toute seule. Bon, maintenant j'ai l'air d'une vraie folle. Je réagis trop. C'est parce que c'est une mau-vaise idée. Je devrais rester tranquille et investir mon argent comme tout le monde dans un logement. D'un autre côté, si j'ai autant d'argent, c'est parce que j'ai pris un risque. Le risque a été payant. J'ai été chanceuse. J'ai été chanceuse et j'ai travaillé fort. Peut-être que je devrais investir dans Écomodèle. OK, c'est le dernier risque que je prends.

Est-ce que je serais devenue accro au risque? J'y aurais pris goût et je ne peux plus m'en passer. Je vais finir ruinée et devrai participer à des rencontres hebdomadaires des Téméraires Anonymes. Que dois-je faire? Est-ce que mes grandes théories sur la peur me montent à la tête au point que je ne sais plus ce qui est bon pour moi? J'ai envie de laisser cela au hasard. Je trouve une pièce de monnaie dans mes poches. Je la mets dans le creux de ma main. Je vais la lancer, si c'est pile… Non, je refuse de me déresponsabiliser. Comme a dit mon père: «C'est toi qui décides, fie-toi à ton jugement.» La nausée me revient. Je ne fais plus que rire toute seule, je parle seule également. Je dois absolument me calmer avant qu'un bon samaritain ne me fasse venir une ambulance. Je vais donner un peu de répit à mon cerveau, histoire d'éviter une crise de panique. Je vais dormir sur ma décision; je me donne jusqu'à lundi.

Mardi 18 octobre 2011
19 h 26

— Tu as investi une grosse partie de tes économies dans la compagnie de ton client? Tu es certaine que c'est une bonne idée? m'interroge Marie sur un ton inquiet.

— Je n'aurais pas acheté dix pour cent des actions d'Écomodèle si je ne pensais pas que c'est une bonne idée!

— Et combien vaut Écomodèle? s'enquiert Marie.

— Pour l'instant, pas grand-chose, mais si elle décroche le contrat avec Clear Fountain Resorts, elle vaudra une véritable petite fortune.

— Hou, là, là, ça semble risqué, tout ça, dit Marie.

— J'ai confiance. Je suis bien informée sur la compagnie et je crois qu'elle aura énormément de succès.

Des chalets et des maisons préfabriqués complètement écologiques et énergétiquement autonomes, c'est fantastique ! En plus de Clear Fountain Resorts, tout le monde pourra acheter à prix modique un chalet ou une maison écologique qui coûtera presque rien en frais d'électricité ou de carburant. C'est l'avenir.

— Mais tu pourrais perdre tout ton investissement, non ? Tu as travaillé tellement fort pour gagner ton procès. Je pensais que tu voulais t'acheter un condo ? insiste mon amie, qui déploie des efforts visibles afin de contenir son émoi.

Je remarque qu'elle ne touche plus aux succulentes tapas du petit restaurant de quartier où nous nous sommes donné rendez-vous depuis l'annonce de mon investissement.

— Ça va aller, Marie. Je peux toujours compter sur mon salaire d'avocate. Je suis jeune, j'aurai le temps de refaire mes économies. Je pourrai toujours m'acheter un condo plus tard, et un plus beau ! Qu'en penses-tu, Élise ? Tu es bien silencieuse.

— Saviez-vous que l'une des raisons qui expliqueraient que les femmes possèdent moins de richesses que les hommes à leur retraite serait qu'elles ont tendance à choisir des placements trop prudents qui rapportent beaucoup moins ?

— Donc, tu penses que j'ai bien fait ?

— Seul l'avenir nous dira si tu as pris la bonne décision.

— Mais toi, tu aurais fait la même chose que moi ?

— Jamais de la vie !

Mardi 18 octobre 2011
22 h 32

De retour à l'appartement, je me déshabille. Je me sens lourde. Même si je suis demeurée en apparence confiante devant mes amies, j'ai complètement absorbé leurs inquiétudes. Investir mes économies dans Écomodèle a été une décision difficile pour moi et j'ai peur de le regretter.

Le silence qui règne dans mon logement me trouble. J'allume la télévision, ça me fera un semblant de compagnie. Je ressens de plus en plus le poids de la solitude. Élise et Marie sont formidables, mais cela ne me suffit pas. Je sens grandir en moi le besoin de partager mon quotidien.

J'aimerais pouvoir vivre mes moments de bonheur et mes angoisses avec quelqu'un avec qui je pourrais former une équipe. Les caresses me manquent aussi… Je jette un coup d'œil sur l'écran de mon téléphone cellulaire avant d'aller sous la douche. Aucun appel manqué, aucun message.

Mercredi 23 novembre 2011
7 h 21

La sonnerie de mon téléphone de bureau retentit, brisant le silence. Je regarde l'appareil comme s'il s'agissait d'un curieux animal; je n'ai pas l'habitude de recevoir des appels aussi tôt. Je suis arrivée à mon cabinet avant le lever du soleil afin de terminer les derniers préparatifs d'un procès qui débute ce matin. C'est Antoine Simard. Il semble déstabilisé de m'avoir au téléphone, il s'attendait à tomber sur ma boîte vocale et à me laisser un message. Les choses avancent et il cherche un avocat afin de rédiger des propositions de contrats dans l'optique d'une entente avec Clear Fountain Resorts. Il me demande si je ne connaîtrais pas un avocat ayant un taux horaire moins élevé que ceux de mon bureau. Je lui réponds que je connais une avocate pas chère du tout, moi-même.

Samedi 26 novembre 2011
9 h 57

Antoine Simard vient de quitter mon appartement. J'ai décidé de rédiger tous les documents contractuels nécessaires à Écomodèle et de mener les négociations gratuitement sur mon propre temps. J'ai facilement obtenu la permission de mon bureau. Je veux absolument que les sommes d'argent disponibles soient utilisées pour la finition du produit. Je veux faire tout ce qui est en mon pouvoir pour aider Écomodèle à décrocher le contrat avec Clear Fountain Resorts. Je suis actionnaire, après tout, et j'ai pu constater ces dernières semaines que les trois autres donnaient leur temps et leurs efforts sans compter. Je veux y mettre du mien aussi. Je regarde ma table de cuisine. Je me fais à l'idée que j'y serai installée avec mon portable pour de nombreux week-ends et plusieurs soirées.

Samedi 26 novembre 2011
16 h 22

— Hum hum…

— Je n'avais pas le temps de faire les bords de mon pantalon. J'ai décidé de l'apporter chez le nettoyeur, à côté du centre commercial. Tu sais duquel je parle ?

— Hum hum…

— Comme je n'avais pas envie de me déshabiller dans leur petite cabine en rideau, j'ai pris moi-même les mesures.

— Hum hum…

— Une semaine plus tard, je vais chercher mon pantalon et je l'essaie à la maison. Devine quoi ?

— …

— Il est trop court ! Évidemment, ils ne veulent pas me rembourser parce que c'est moi qui leur ai donné les mesures. Mais c'est certain que c'est leur faute ! S'il y a bien quelque chose que je sais faire, c'est prendre des mesures de pantalons !

— Hum hum…

Je suis au téléphone avec ma mère depuis au moins quarante-cinq minutes. J'ai beau lui dire que je suis très occupée, elle fait la sourde oreille. Elle discute en passant d'un sujet à l'autre sans vraiment se soucier que je participe à la conversation ou non. Après dix minutes, j'ai compris qu'il était inutile de tenter de mettre fin à son monologue. J'ai mis le téléphone en mode mains-libres et continue de travailler sur les contrats d'Écomodèle, toujours assise à ma table de cuisine.

— Bonne nouvelle, ma chouette ! Normand a parlé au jeune qui travaille avec lui, Christian, un beau garçon bien gentil. Il lui a montré une photo de toi.

— Quoi ! Quelle photo ? m'exclamé-je en levant le nez de mes contrats.

— Ta photo de graduation en droit, ma chérie !

— Ça, c'est une belle photo récente ! dis-je avec ironie en me remémorant à quel point j'ai l'air ridicule sur cette photographie, avec un mortier de graduation trop grand sur la tête.

— Mais ne t'inquiète pas, il t'a trouvée très bien. Normand lui a expliqué que tu es seule et que tu n'arrivais absolument pas à rencontrer des hommes qui s'intéressent à toi.

— MAMAN !!

Je me frappe la tête avec la main. Il y a un Christian à la Ville de Laval qui doit me trouver un peu *loser*. Ça m'apprendra à ne pas avoir parlé de Richard et Samuel à mes parents.

— Mais c'est toi qui m'as dit ça ! se défend ma mère.

— Non ! J'ai dit que je n'étais absolument pas intéressée à rencontrer des hommes, ce n'est pas la même chose du tout !

— Peu importe, il a accepté de te rencontrer.

— La belle action charitable !

— Je lui donne ton numéro de cellulaire ou ton numéro au travail?

— Aucun numéro, maman. Je ne suis pas intéressée.

— Qu'est-ce que Normand va lui dire alors?

— Je ne sais pas, moi, qu'il lui dise que j'ai rencontré quelqu'un.

— Tu as rencontré quelqu'un? C'est une nouvelle encore meilleure!

J'appuie mon front sur la table; ma mère m'épuise.

Jeudi 2 février 2012
17 h 51

Je passe devant le bureau de Marc-Olivier. Ce dernier semble complètement absorbé par son écran d'ordinateur. Notre relation est tendue depuis notre différend, qui date de plusieurs mois. J'aimerais bien mettre fin à la guerre froide. C'est quand même mon collègue et voisin de bureau. Je me risque à lui lancer une invitation:

— Salut, Marc-Olivier, veux-tu aller boire un verre en bas? C'est moi qui t'invite!

Il me répond prestement «oui», se lève et agrippe son veston, comme s'il ne s'était jamais rien passé entre nous. Alors que nous entrons dans l'ascenseur, il me lance sur un ton qui se veut faussement puritain:

— Mais je t'avertis, si tu me fais des avances, je m'en vais!

Les portes se referment sur nous qui rions. Pour une fois que je trouve une de ses blagues amusante.

Mercredi 29 février 2012
11 h 33

Bon, ça y est, je vais le faire. Je vais me lever et la frapper. Je vais prendre le plus grand élan possible avec mon bras, et mon poing va atterrir de plein fouet sur le nez de Me Mireille Larochelle. Elle vient de me remettre une copie de notre projet d'entente complètement raturée et couverte d'annotations. Mes mains tremblent, je perds mon calme. Elle revient sans gêne sur des points qui étaient réglés depuis longtemps grâce à des négociations de plusieurs semaines. Me Larochelle est l'une des avocates de Clear Fountain Resorts et c'est malheureusement elle qui est chargée de notre dossier. C'est une femme désagréable et austère qui tient absolument à son image de dure à cuire. Nous avons compris votre message, maître Larochelle, maintenant est-il possible pour vous de mettre un sourire sur votre visage? Ça rendrait les longues heures de négociations moins pénibles. Je dépose le projet sur la table:

— Maître Larochelle, je ne comprends pas. Nous nous étions entendues sur tous ces points.

— Il y a quelques petits détails sur lesquels nous voulons travailler, répond-elle sans sourciller.

« Il y a quelques petits détails sur lesquels nous voulons travailler. » C'est la quatrième fois qu'elle nous fait le coup. Nous venons à une rencontre pour finaliser des *détails*, alors qu'en réalité ce sont tous les éléments importants de l'entente qui sont remis en question. J'ai chaud. Je joins mes mains afin de ne pas perdre le contrôle. Je suis trop émotive. C'est mon argent, après tout. J'ai besoin d'une pause pour éviter de commettre l'irréparable. Antoine Simard devine mon état d'esprit et demande un temps d'arrêt. Les gens de Clear Fountain Resorts quittent la salle de conférences.

— Je suis désolée, je n'ai pas assez de distance. Un avocat qui n'est pas partie dans la transaction serait peut-être plus approprié...

— Mais non, Sara. On est tous sur les nerfs. J'ai cassé mon crayon à force de frustration lorsque j'ai vu l'entente, me dit Louis en me montrant ses mains tachées d'encre bleue.

— Je pense qu'on se fait niaiser! renchérit Jean-François.

— Les gars, je suis à la limite de ce que je peux faire en tant que conseillère juridique. Ce n'est plus une question de droit, c'est une décision d'affaires qui s'impose.

— Qu'est-ce que tu veux dire, Sara? s'enquiert Antoine.

— Soit ils ne sont pas véritablement intéressés et c'est pour ça qu'ils modifient sans arrêt le contrat et s'arrêtent à chaque virgule, soit il s'agit purement d'avocasseries. Ce ne sera pas la première fois qu'une entente échoue en raison d'avocats trop scrupuleux…

— Qu'est-ce que tu proposes? me demande Antoine.

— Je pense que vous devriez jouer le tout pour le tout et annuler la rencontre. Antoine, tu devrais parler toi-même, sans avocat, au président de Clear Fountain Resorts et lui demander pourquoi les négociations ne débouchent pas.

— Oui! *Fuck* les avocats! lance Jean-François en glissant tout bas un « désolé, Sara ».

— Je pense que Sara a raison. Suffit les politesses, il est temps qu'on mette notre poing sur la table! Qui est d'accord? demande Antoine.

Les trois hommes lèvent la main.

Mercredi 29 février 2012
15 h 54

Je tourne en rond dans mon bureau avec mon téléphone cellulaire à la main. J'attends impatiemment l'appel d'Antoine. Il rencontrait le président de Clear Fountain Resorts seul à seul à 15 h 30. Je regarde ma montre. Ils doivent encore être en réunion. Je trouve ça long. Je touche nerveusement tous les objets qui sont dans mon bureau sans véritablement leur porter attention. Je gère bien mal mon stress. J'essaie de me convaincre que la perte du contrat avec Clear Fountain Resorts ne serait pas si grave. Au moins, cette fois, aucune disgrâce n'y est attachée. Juste la perte de mes économies…

— Sara?

— Quoi! réponds-je avec beaucoup trop d'agressivité.

Le préposé chargé de distribuer le courrier me regarde sans oser bouger, tenant des lettres qui me sont destinées.

— Excuse-moi, Maxime! dis-je en allant vers lui pour prendre mon courrier. Merci beaucoup et bonne fin de journée.

Je décide de sortir de mon bureau. Je ne veux pas risquer d'être rude envers d'autres membres du personnel. Mon téléphone sonne alors que l'ascenseur entame sa descente.

— Allô!

— Sar…

NOOOON, je perds le signal! Ce n'est pas le moment! J'appuie sur les boutons des autres étages. L'ascenseur s'immobilise enfin et je peux sortir. Je rappelle Antoine sans me préoccuper de l'endroit où je viens d'atterrir.

— Sara, je ne sais pas comment t'annoncer ça…

— Oh, Antoine…

— Mais… le contrat est signé!!!

— OUI!!! m'écrié-je avec soulagement. Avec toutes nos conditions?

— Nous avons signé la version que tu avais rédigée avant les dernières modifications de Me Larochelle!

— OUAIS! DANS SA FACE! dis-je en faisant de grands gestes tout à fait dénués de classe. Je ne peux pas le croire! Le projet va enfin pouvoir décoller. JE SUIS TELLEMENT EXCITÉE!!!

J'entends un «boum» non loin de moi. Je me retourne. Quelques avocats, agglutinés près du bureau de leur réceptionniste, me regardent avec étonnement. L'un d'eux en a même échappé sa mallette. Parmi eux, j'aperçois Vincent Langelier, qui a la bouche grande ouverte. Je reconnais également certains des avocats qui étaient présents lors du procès de Thomas Bergeron.

Quelle misère! Je suis en train de me donner en spectacle au beau milieu du cabinet de Vincent avec mes réactions dignes de celles des fans de hockey pendant les séries éliminatoires. J'appuie frénétiquement sur le bouton de l'ascenseur pour qu'il revienne, toujours le cellulaire à l'oreille. Le voyant de l'ascenseur s'allume. Les avocats plus âgés m'observent maintenant d'un air réprobateur. Mon Dieu! Je veux partir! Les portes s'ouvrent enfin et je me précipite dans la cabine. Je lance à l'intention du groupe la seule phrase qui me vient à l'esprit pour tenter de sauver la face:

— N'oubliez pas que je vous ai déjà battus à la cour!

J'ai juste le temps de voir un sourire se tracer sur le visage de Vincent et les yeux des autres s'arrondir avant que les portes se ferment.

Vendredi 2 mars 2012
22 h 14

Je suis attablée avec Antoine, Jean-François et Louis dans le restaurant le plus chic de Montréal afin de célébrer la signature de l'entente finale avec Clear Fountain Resorts. Depuis notre arrivée, il y a plus de deux heures, nous rions constamment. La bonne humeur et le champagne aidant, nous ressassons avec enthousiasme toutes les anecdotes et tous les événements marquants des derniers mois. Tout est prétexte à lever nos verres et nous en sommes à finir notre troisième bouteille de champagne:

— Je propose un toast à Me Mireille Larochelle, qui a de justesse pu conserver toutes ses dents! dis-je à la blague.

— Quelle femme détestable ! s'exclame Louis. Je la verrais plus directrice de prison qu'avocate. C'est quand même incroyable, elle a presque fait échouer les négociations !

— N'empêche que j'aurais bien aimé voir Sara se battre corps à corps contre elle ! lance Jean-François, ce qui déclenche une rafale de rires.

— Moi, je lève mon verre à Sara, qui a visé juste lorsque les négociations dérapaient, mentionne Antoine sur un ton reconnaissant. Et j'aurais sans hésitation misé cinq dollars sur elle dans un combat corps à corps contre Mireille !

J'observe avec affection mes trois nouveaux camarades. Je me sens heureuse. J'ai trouvé l'aventure longue et ardue. J'ai douté souvent, mettant plusieurs fois une croix sur mon argent. Par contre, je suis très fière d'y avoir participé. J'ai appris énormément et j'ai eu l'occasion de me faire trois merveilleux amis. L'expérience me laisse beaucoup plus que l'expectative d'un bon rendement sur mon investissement, soit le sentiment de satisfaction du travail accompli.

Vendredi 2 mars 2012
23 h 41

Je fais la bise à mes trois compagnons et décline leur invitation à partager un taxi. Je dois absolument aller aux toilettes avant de partir. Alors que je me dirige vers le vestiaire pour aller chercher mon manteau, je croise le regard de Richard Williams. Il est assis seul au bar du restaurant. Il se lève et marche dans ma direction en souriant. Comme à son habitude, il dégage une prestance charismatique. J'ai la tête qui tourne en raison de ma trop grande consommation de champagne. Un sentiment négatif naît en moi.

De toute évidence, il est de retour à Montréal mais ne m'a pas appelée. Mon orgueil déjà échaudé en est blessé. Je sais que c'est déraisonnable, mais je me sens rejetée encore une fois. L'alcool aidant, mes idées et mes sentiments se brouillent. Les émotions des mois passés m'envahissent et j'ai malheureusement perdu la capacité de différencier celles qui émanent de mon aventure avec Richard de celles qui découlent de mes ruptures. Richard me salue avec enthousiasme et chaleur.

Contre toute logique, je commence à le sermonner ou plutôt – pour dire vrai – à carrément l'engueuler. Même si je suis consciente qu'il ne mérite d'aucune façon de recevoir ma hargne et qu'il paie injustement pour les autres, je suis incapable de me contrôler:

— «Viens me voir à Dubaï, Sara! Dès que je suis de retour je te contacte!» C'est ça, des promesses!

— Sara…

— Te revoilà à Montréal, et est-ce que tu m'as appelée?

— Je…

— Nooooon! Tu ne m'as pas appelée! J'imagine que je suis *too much* pour toi! Eh bien *excuse-moi* d'avoir des opinions! *Excuse-moi* d'avoir des idées! Tu sais quoi? Tu n'as aucune parole! Et je ne dis pas ça *ab irato*[8]. Oui, c'est du latin! Ce n'est peut-être pas sexy, mais j'aime ça, moi, le latin! J'aime prononcer des locutions latines avec le bon accent! J'ai même pris des cours de latin à l'université, comme ça, pour le plaisir!

— Sara, je t'ai envoyé deux courriels.

— Deux courriels, vraiment!

Au lieu de profiter de cette information pour prendre un temps de réflexion sur mon comportement totalement déplacé à l'endroit de Richard, j'attrape mon téléphone et continue d'être désagréable:

— Tu sais, à notre époque, on ne peut plus donner ce genre d'excuse et se sauver. C'est très facile à vérifier.

---

8. « Sous l'effet de la colère. » Locution latine qui n'est pas utilisée en droit; je n'ai aucune excuse, cette fois.

Deux courriels que je n'aurais pas vus ? Impossible ! dis-je en allant consulter mes messages. Non, rien ! Comme c'est étonnant !

— As-tu vérifié dans tes courriels indésirables ?

Je m'exécute. C'était écrit dans le ciel. Deux courriels provenant de l'adresse de Richard sont affichés comme étant non lus dans mes indésirables. Le premier courriel date d'une semaine et m'annonce qu'il sera de passage à Montréal pour ce week-end. Le second date de ce matin. Richard m'informe qu'il est dans l'avion et qu'il aimerait bien me voir ce soir ou demain. C'est très gênant. Je le regarde avec un grand sourire niais.

— Il n'y a pas de mots pour excuser mon manque de manières, dis-je en dégrisant enfin.

— Tu aimes le latin ? me demande-t-il, visiblement amusé.

— Oui, bon. Ces temps-ci, je vis un peu d'insécurité face à certaines caractéristiques de ma personnalité. Je me suis fait laisser…

— Parce que tu as des opinions ?

— Non, ça, c'est moi qui exagère. Disons que j'ai une propension pour la rhétorique. Tu me pardonnes ?

— Il n'y a rien à pardonner ! Est-ce que tu rentrais chez toi ? Veux-tu venir boire un verre à mon hôtel ?

— Tu m'invites même après la scène que je viens de te faire ?

— Certainement. Moi aussi j'aime la rhétorique ! Sara, ce que j'ai le plus aimé de toute notre escapade à New York, ce sont nos discussions. Je te trouve brillante et j'ai du plaisir avec toi.

— C'est gentil, Richard, ça me fait vraiment du bien d'entendre ça.

— De toute façon, tu ne parles pas tant que ça quand tu fais l'amour…

— Ah ! m'exclamé-je en riant. OK, c'était mérité…

— Sans plaisanter, je te trouve absolument formidable.

Je remercie et embrasse Richard pour la dernière fois. Je me sens soudain plus légère alors que je réalise enfin l'évidence grâce à lui : ce n'est pas parce que ça n'a pas fonctionné avec Philippe et Samuel que je ne trouverai pas quelqu'un qui m'aimera pour qui je suis.

Aussi alléchante que puisse être l'invitation de Richard, je ne peux l'accepter. Je n'ai plus envie d'aventures sans lendemain. Désormais, mes pensées semblent converger vers quelqu'un d'autre.

Mardi 17 avril 2012
10 h 49

— Je peux visiter ce soir ? Fantastique ! dis-je juste avant de raccrocher avec l'agent d'immeuble.

Je suis toujours à la recherche d'un condo. Celui que j'avais visité avec mes parents n'est plus sur le marché. Ce n'est pas bien grave, je vais trouver mieux. Par contre, je suis l'heureuse propriétaire d'un luxueux chalet écologique. J'ai pu acheter à bas prix un des prototypes d'Écomodèle. Je ne pouvais tout simplement pas laisser passer cette occasion en or. J'ai d'ailleurs décidé de rentabiliser mon chalet et d'y organiser une soirée de réseautage. J'ai invité mes contacts de travail, plusieurs avocats de mon cabinet, mes clients, des clients convoités et mes amis, évidemment. Je veux en profiter pour renforcer mes liens avec mes clients actuels et en développer avec d'autres.

Mon chalet est l'endroit rêvé pour ce genre d'activité et permet de montrer à des acteurs importants de l'industrie de la construction ce qu'Écomodèle sait faire de mieux. Être actionnaire d'Écomodèle me procure de bons revenus, mais surtout énormément de fierté. Je dois terminer de régler les derniers préparatifs et j'en profite pour faire des appels. Marie m'a référé un traiteur exceptionnel pour la nourriture et les boissons. J'ai même prévu du transport en louant un bus qui partira du centre-ville. Je me suis entendue avec mon cabinet pour que ce dernier supporte la plus grande partie des frais. Puisque je détiens désormais de plus en plus de clients à mon nom, au bureau, celui-ci se montre très enclin à accéder à mes demandes.

Vendredi 20 avril 2012
18 h 37

La soirée va bon train et tous semblent s'amuser. Marie est entourée de deux ingénieurs, d'un avocat et d'un entrepreneur en construction qui semblent la trouver absolument sublime. Élise, qui revient d'un voyage en voilier avec Jonathan, discute avec mon ami Alexandre. Me Claude Lambert se dirige vers moi. J'ai dû me résoudre à l'inviter ; tenir une réception payée par le bureau sans le convier aurait créé un incident diplomatique sans précédent. Me Lambert se plante devant moi en hochant la tête :

— C'est une belle soirée, qui a un très bon taux de participation. Beaucoup de gens intéressants du milieu. Félicitations !

— Merci.

— Ça doit être facile de te faire les clients, toi qui aimes tant les hommes…, ajoute-t-il sur un ton qui se veut complice en m'adressant un clin d'œil.

Je le regarde en souriant sans même être insultée par sa remarque déplacée. Je le vois enfin pour ce qu'il est : un personnage d'une autre époque. Je le trouve même sympathique. Je demeure toutefois heureuse de savoir que les générations subséquentes d'avocates n'auront probablement pas à côtoyer ce genre d'individu, ni à devoir livrer une véritable bataille simplement pour se faire respecter en tant que personne.

— Faites attention, maître Lambert, je vais bientôt avoir plus de clients que vous ! réponds-je du tac au tac en riant.

— Des grosses couilles! Des grosses couilles! lance-t-il en me tapotant l'épaule.

Derrière lui, j'aperçois un visage qui m'est beaucoup plus agréable, celui de Vincent Langelier. Il vient d'arriver et se fait offrir un verre de bulles par un serveur. Je m'excuse auprès de Me Lambert et me dirige vers Vincent.

— Quel beau chalet! Est-ce que j'ai compris que c'est ton chalet? me demande-t-il.

— Oui, c'est mon chalet.

— C'est grâce au procès de Thomas Bergeron? s'enquiert-il en me pointant ce dernier, qui engouffre des sandwichs au buffet.

— Pas tout à fait. Je suis actionnaire de la compagnie qui les fabrique, Écomodèle.

— Actionnaire? Impressionnant. Je suis prêt à recevoir tes conseils d'affaires n'importe quand!

— C'est simple, voici ma devise: «Déterminer ce dont j'ai envie et faire les démarches pour l'obtenir.»

— Et ça fonctionne?

— Mais oui! La preuve: tu as accepté mon invitation! lui dis-je en lui envoyant un regard chaud et espiègle.

Son visage s'éclaire d'un immense sourire et il me répond, les yeux scintillants: «J'aime ta *mens rea*[9].»

Oh! Du latin! Je pense que je suis amoureuse…

9. « Intention coupable. » Locution latine utilisée en droit criminel.

Remerciements

J'aimerais remercier mes splendides amies, qui sont ma première source d'inspiration. J'aimerais également remercier toute ma famille, en particulier mes parents et ma sœur, pour leur éternel soutien. Un énorme merci à l'équipe du Groupe Librex pour m'avoir fait confiance. Merci à Nadine Lauzon, mon éditrice ; c'est tellement agréable de travailler avec toi. Finalement, j'aimerais remercier mes deux garçons pour tout le bonheur qu'ils m'apportent et, évidemment, mon fantastique mari, Guillaume.

Suivez les Éditions Libre Expression sur le Web :
www.edlibreexpression.com

Cet ouvrage a été composé en Minion Pro 12/14
et achevé d'imprimer en août 2014 sur les presses
de Marquis imprimeur, Québec, Canada.

| certifié | procédé sans chlore | 100 % post-consommation | archives permanentes | énergie biogaz |

Imprimé sur du papier 100 % postconsommation, traité sans chlore,
accrédité Éco-Logo et fait à partir de biogaz.